GWYLLIAID GLYNDŴR

I Hannah Mary Davies,
Jennifer Davies, Ieuan Reid, Jessica
Reid ac yn arbennig i Snwff y ci

Gwylliaid Glyndŵr

DANIEL DAVIES

yLolfa

Argraffiad cyntaf: 2007

Dymuna'r cyhoeddwyr gydnabod cymorth ariannol
Cyngor Llyfrau Cymru

Cynllun y clawr: Sion Ilar, Cyngor Llyfrau Cymru

Rhif Llyfr Rhyngwladol: 978 086243 987 3
Isbn-10: 086243 987 6

Cyhoeddwyd ac argraffwyd yng Nghymru
gan Y Lolfa Cyf., Talybont, Ceredigion SY24 5AP
gwefan www.ylolfa.com
e-bost ylolfa@ylolfa.com
ffôn 01970 832 304
ffacs 832 782

Llythyr Pennal

Yn 1406 rhannwyd Ewrop rhwng dau Bab – un yn Rhufain a'r llall yn Avignon, Ffrainc. Ar y 6ed o Fawrth 1406 anfonodd Owain Glyndŵr lythyr at frenin Ffrainc sef Charles V yn dweud bod y Cymry yn barod i gydnabod y Ffrancwr Benedict XIII yn Bab ar yr amod bod brenin Ffrainc a'r Pab yn derbyn y canlynol:

Yn gyntaf, bod Eglwys y Cymry yn annibynnol ar Loegr, ac mai Tyddewi nid Caergrawnt, fyddai'n rheoli esgobaethau Cymry, y Mers a Gorllewin Lloegr.

Yn ail, dim ond dynion a fedrai siarad Cymraeg a oedd i'w penodi'n esgobion ac yn offeiriaid yng Nghymru.

Yn drydydd, rhaid i'r arferiad o anfon arian o Gymru i gynnal mynachlogydd a cholegau yn Lloegr ddod i ben.

Yn bedwerydd, yr oedd Cymru i gael dwy brifysgol, un yn y gogledd ac un yn y de.

Yn olaf, roedd Glyndŵr yn gofyn i Benedict XIII gyhoeddi croesgad yn erbyn brenin Lloegr, Harri IV, gan fod y Brenin Seisnig wedi dinistrio eglwysi a dienyddio offeiriaid.

Ysgrifennwyd y llythyr gan Gruffudd Young, Canghellor Glyndŵr.

Ni chafodd Owain Glyndŵr ymateb i'r llythyr a chwalwyd y freuddwyd o ennill annibyniaeth i Gymru.

Ers hynny bu'r llythyr yng ngofal Llywodraeth Ffrainc ac ers sawl blwyddyn mae'r llythyr wedi gorffwys yn Archive National de France ym Mharis...

Rhan I

CERDDODD DAVINA LEWIS yn bwrpasol o orsaf Metro Hôtel de Ville. Trodd i'r chwith a dechrau cerdded ar hyd Rue de Frances-Bourgeois.

Camodd yn ei blaen gan ddal ymbarél o'i blaen i'w hamddiffyn rhag y glaw trwm yn disgyn o'r cymylau isel uwchben Paris ar y bore diflas hwn o Chwefror.

Yn ei llaw chwith cariai fag dogfennau'n cynnwys nodiadau ar gyfer cynhadledd y Wasg fyddai'n cael ei chynnal yn Rhif 60 Rue Frances-Bourgeois – lleoliad Archifdy Genedlaethol Ffrainc – ymhen deng munud.

Roedd Davina Lewis yn newyddiadurwraig i'r cylchgrawn *History Today*, a'i nod oedd ysgrifennu erthygl am ddyfodiad Llythyr Pennal i Gymru ar ôl 600 mlynedd o alltudiaeth yn Ffrainc. Roedd Davina yn ferch y byddai'r rhan fwyaf o ddynion yn troi i edrych arni eilwaith. Nid oherwydd ei bod hi'n bert, ond oherwydd ei bod hi'n edrych fel cyfuniad erchyll o gymeriadau cartŵn. Roedd ganddi ddannedd cwningen fel Bugs Bunny; sbectol drwchus Mistar Magoo a gwefusau trwchus Daffy Duck. Yn ogystal siaradai â'r un nam ar y lleferydd ag sydd gan Elmer J Fudd – ynganai'r llythyren 'r' fel 'f'.

Cerddodd Davina i mewn i adeilad Archif Genedlaethol Ffrainc a chyflwyno ei hun i'r derbynnydd y tu ôl i'w ddesg wrth y brif fynedfa. Cododd hwnnw ei ben o'r ddogfen a ddarllenai i weld llygaid buwch Davina'n syllu arno drwy ei sbectol drwchus.

Ebychodd yn uchel wrth iddo weld wyneb hyll Davina.

— Fwy i yma af gyfef cynhadledd y Wasg ... Llythyf Pennal ... Davina Lewis ... fwy i af y fhestf ... *Histofy Today*, dywedodd Davina mewn Ffrangeg pefffaith.

Methodd y derbynnydd â dweud gair. Pwyntiodd i

gyfeiriad drws anferth ar y chwith. Gwelodd Davina nifer o bobl yn sefyll wrth ymyl y drws.

— Diolch yn fawf, dywedodd Davina cyn troi ar ei sodlau a brasgamu i mewn i'r ystafell gan eistedd ymysg yr hanner cant o aelodau'r wasg oedd eisoes wedi cyrraedd y Gynhadledd.

Edrychodd Davina ar ei wats. Pum munud i ddeg. Cododd ddarn o bapur o sedd gyfagos. Datganiad i'r Wasg ar y cyd gan Lywodraeth Ffrainc a Chynulliad Cenedlaethol Cymru yn hysbysu'r ffaith bod Llywodraeth Ffrainc wedi cytuno i fenthyca'r Llythyr i Lyfrgell Genedlaethol Cymru o fis Mawrth tan ddiwedd mis Mai y flwyddyn honno.

Edrychodd Davina o'i chwmpas a gweld bod cryn dipyn o ddiddordeb gan y Wasg yn y cyhoeddiad. Gwelai gamerâu Sianel 5, Sianel 6 a Sianel 9 Ffrainc. Yno hefyd roedd camerâu'r BBC, HTV a llu o newyddiadurwyr papurau Ffrengig fel *Le Monde* a phapurau Prydeinig yn cynnwys y *Daily Telegraph*, y *Times* a'r *Western Mail*.

Roedd y camerâu wedi eu hanelu at fwrdd hir ar lwyfan isel y tu blaen i'r newyddiadurwyr. Rhwng y bwrdd a'r newyddiadurwyr safai dau warchodwr y naill ochr a'r llall i gas arddangos. Y tu mewn i'r cas roedd Llythyr Pennal ac arno sêl modrwy Owain Glyndŵr.

Am ddeg o'r gloch cerddodd wyth dyn i mewn i'r ystafell drwy'r drws cefn ac eistedd wrth y ford a pharatoi ar gyfer y Gynhadledd.

O'r chwith i'r dde eisteddai Curadur Archifdy Genedlaethol Ffrainc, ei ddirprwy, Gweinidog Diwylliant Cynulliad Cenedlaethol Cymru a Swyddog y Wasg, Gweinidog Diwylliant Ffrainc a phrif was sifil y Weinidogaeth, sef Michelle Giresse.

Sylwodd Davina fod y ddau ddyn a eisteddai ar ochr dde'r bwrdd yn siarad yn frwd efo'i gilydd. Y rhain oedd Vincent Pyrs, pennaeth Adran Arddangosfeydd Llyfrgell Genedlaethol Cymru a Moelwyn Drake, pennaeth Adran

Ddiogelwch y Llyfrgell.

Dyn tenau oedd Vincent Pyrs; roedd ei wallt wedi ei dorri'n fyr a gwisgai bâr o sbectolau crwn. Edrychai'n syndod o debyg i'r diweddar Heinrich Himmler, pennaeth yr SS a'r Gestapo yn Llywodraeth Natsïaidd yr Almaen yn y 30au a'r 40au.

Edrychai Moelwyn Drake yn dra gwahanol i Vincent, yn ddyn tew yn ei bedwar degau hwyr a chanddo locsys clustiau hir – digon tebyg i flaenor o gyfnod diwygiad 1905.

Gwahoddwyd y ddau i'r Gynhadledd ar y funud olaf oherwydd bod y Llyfrgellydd, Alan White, yn sâl yn ei wely gyda'r ffliw. Yn anffodus, doedd neb wedi dweud wrth drefnwyr y Gynhadledd am y newid hwyr ac o ganlyniad, dim ond un gadair a neilltuwyd ar gyfer Vincent Pyrs a Moelwyn Drake.

— Gofyn am gadair arall, sibrydodd Vincent wrth Moelwyn gan eistedd ar yr unig gadair oedd ar gael.

— Wna i edrych fel cnych, sibrydodd Moelwyn gan wthio Vincent Pyrs a llwyddo i osod un o fochau ei din ar y sedd. O ganlyniad dim ond lle i un o fochau tin Vincent Pyrs oedd ar y sedd.

— Gwranda, Moelwyn. Fi yw pennaeth Adran yr Arddangosfeydd a dwi ar Radd 6... dim ond ar Radd 5 wyt ti... a heblaw amdanaf i fyddet ti ddim ar Radd 5 hyd yn oed! sibrydodd Vincent yn gas gan lwyddo i wthio Moelwyn o'r sedd.

Wrth i guradur Archifdy Genedlaethol Ffrainc ddechrau'r gynhadledd penderfynodd Moelwyn esgus ei fod yn eistedd ar gadair. Safai yn ei gwrcwd gyda'i ddwylo yn pwyso ar y ford gan edifarhau ei fod yn ddyledus i Vincent Pyrs am fod yn bennaeth Adran Ddiogelwch y Llyfrgell.

Wrth i'r curadur draethu yn Ffrangeg am bwysigrwydd Llythyr Pennal i Gymru ac i Ffrainc defnyddiodd Vincent

Pyrs ei glustffonau a gwrando ar y cyfieithiad. Gwenai Vincent yn siriol gan feddwl mai'r diwrnod hwn, yn bendant, oedd uchafbwynt ei yrfa hyd yn hyn.

Roedd Vincent yn 54 mlwydd oed ac wedi gweithio yn y Llyfrgell ers iddo ennill ei radd mewn Llyfrgellyddiaeth yn 1974. Roedd wedi treulio dros ddeng mlynedd ar hugain yn gweithio'n galed i sicrhau mai efe ac nid unrhyw un o'i gyd-weithwyr, a gawsai ei ddyrchafu i gyfres o swyddi pwysig yn y Llyfrgell. O'r dechrau, nod Vincent Pyrs oedd llwyddo, rhyw ddiwrnod, i gyrraedd y brig a chael ei goroni'n Llyfrgellydd.

Ac yn awr, ar ôl tair blynedd o drafodaethau brwd â swyddogion Llywodraeth Ffrainc roedd ef, ac ef yn unig, wedi llwyddo i berswadio'r Ffrancwyr i fenthyca'r llythyr i'r Llyfrgell am dri mis.

Pe bai arddangosfa Llythyr Pennal yn llwyddiannus, Vincent Pyrs fyddai'r ceffyl blaen yn y ras i gael swydd y Llyfrgellydd presennol, Alan White, a fyddai'n ymddeol ymhen chwe mis.

Gorffennodd Curadur Archif Genedlaethol Ffrainc ei gyflwyniad a dechreuodd Gweinidog Diwylliant y Cynulliad, Albert Pugh, ateb cwestiynau'r wasg.

— A oes unrhyw obaith i'r llythyr ddod yn ôl i Gymru am byth ac efallai gael ei leoli yn adeilad ysblennydd y Cynulliad? gofynnodd newyddiadurwr y *Western Mail*.

Gwenodd Albert Pugh oherwydd ar ei gais ef roedd y newyddiadurwr yn gofyn y cwestiwn hwnnw. Roedd e ar fin ateb pan sylwodd Pugh fod prif was sifil Gweinidog Diwylliant Ffrainc – Michelle Giresse – wedi dechrau sibrwd rhywbeth yng nghlust y Gweinidog. Eiliad yn ddiweddarach pwysodd hwnnw ymlaen yn ei sedd a gweiddi.

— *Non!* gwaeddodd yn uchel.

— Ond… beth os… dechreuodd y newyddiadurwr.

— *Non... Non... Non*, gwaeddodd y Gweinidog gan chwifio ei fys.

Gwyddai Vincent Pyrs na fyddai Llywodraeth Ffrainc yn debygol o drosglwyddo perchnogaeth llythyr Pennal i Gymru oherwydd byddai'r weithred yn achosi problemau diplomatig gyda Llywodraeth Prydain. Ofnai Llywodraeth Prydain y byddai dychwelyd y llythyr i Gymru yn sbarduno cenedlaetholwyr i ddechrau galw am annibyniaeth.

Yna daeth cyfle Vincent Pyrs i ddangos ei ddoniau. Gofynnodd newyddiadurwr y *Daily Telegraph* beth fyddai cynnwys yr arddangosfa.

Esboniodd Vincent yn araf ac yn glir y byddai'r arddangosfa yn adrodd hanes Owain Glyndŵr gan ddefnyddio technegau rhithwyr a modelau symudol o Owain ei hun, Harri'r IV, Syr Henry Percy, y Pab Benedict XIII a Brenin Charles V o Ffrainc.

Ar ôl siarad am bron i bum munud, gorffennodd Vincent trwy wahodd y Wasg i ymweld â'r arddangosfa y diwrnod cyn yr agoriad swyddogol ar y chweched o Fawrth, chwe chan mlynedd i'r diwrnod ers y cafodd y llythyr ei ysgrifennu. Eisteddodd Vincent yn ôl yn ei sedd yn hapus dros ben gyda'i berfformiad.

— A oes gan unrhyw un arall gwestiwn i'w ofyn? gofynnodd Curadur Archifdy Genedlaethol Ffrainc, oedd erbyn hyn yn awyddus i orffen y Gynhadledd ac ymuno â gweddill y pwysigion i loddesta drwy'r prynhawn.

— Dim ond un neu ddau o gwestiynau, dywedodd Davina Lewis yn Saesneg, gan gymryd y meicroffon oddi ar newyddiadurwr y *Daily Telegraph*.

— Davina Lewis... *Histofy Today*... dechreuodd Davina cyn ychwanegu yn Saesneg.

— Sut gallwch chi sicfhau diogelwch y llythyf yn sgil fecofd sâl y Llyffgell o adael i fapiau gwefth can mil o bunnoedd gael eu dwyn oddi yno pedaif blynedd yn ôl? gofynnodd Davina.

Diflannodd y wên o wyneb Vincent Pyrs a gwgodd ar y Saesnes ddigywilydd hon. Pa hawl oedd ganddi hi i ofyn y fath gwestiwn a cheisio difetha ei ddiwrnod llwyddiannus?

Roedd Davina'n cyfeirio at y lleidr, Peter Bellwood, a ymwelodd â'r Llyfrgell Genedlaethol ar sawl achlysur yn ystod haf 2001. Roedd gan Bellwood raser wedi ei guddio yn un o'i esgidiau a llwyddodd i dorri dros ddwsin o fapiau gwerthfawr o lyfrau, a'u cuddio cyn ymadael â'r Llyfrgell heb i neb ei archwilio. Ni wyddai neb yn y Llyfrgell fod y mapiau wedi cael eu dwyn nes i Bellwood gael ei arestio am geisio cyflawni'r un drosedd yn Stockholm flwyddyn yn ddiweddarach.

Gwyddai Vincent Pyrs mai ef oedd yn gyfrifol am adael i Bellwood adael y Llyfrgell heb i neb ei archwilio. Roedd Vincent wedi dadlau bod pennaeth Adran Ddiogelwch y Llyfrgell ar y pryd, John Lazarus, wedi mynd dros ben llestri wrth fynnu bod pawb a fynychai'r Llyfrgell yn cael eu harchwilio'n drylwyr. Mynnodd Vincent Pyrs fod John Lazarus yn dileu'r cynllun ond drwy lwc, dim ond Vincent, Lazarus a'i ddirprwy, Moelwyn Drake, a wyddai mai ei benderfyniad ef ydoedd hwnnw.

Chwe mis yn ddiweddarach dechreuodd Bellwood ddwyn y mapiau o'r Llyfrgell. Wrth gwrs, pan gynhaliwyd ymchwiliad i droseddau Bellwood gwadodd Vincent osodiad Lazarus mai ef oedd wedi mynnu llacio lefel yr archwiliadau. Cefnogodd Moelwyn Drake osodiad Vincent mai penderfyniad Lazarus oedd dileu'r cynllun. O ganlyniad collodd Lazarus ei swydd a phenodwyd Moelwyn Drake yn bennaeth yr adran.

Trodd Vincent at Moelwyn Drake, oedd yn dal yn ei gwrcwd wrth y ddesg.

— Dyweda rywbeth wnei di, hisiodd Vincent arno. Pwysodd Moelwyn ymlaen gan siarad yn araf i mewn i'r meicroffon o'i flaen.

Wel... y... y... mae pethau wedi newid cryn dipyn... y... y... ers 2001... Do fe wnaeth rhywun ddwyn o'r Llyfrgell yn 2001... ond wnaeth neb lwyddo i ddwyn o'r Llyfrgell yn 2002... wnaeth neb ddwyn o'r Llyfrgell yn 2003... ac yn 2004 wnaeth neb...

Torrodd Michelle Giresse ar ei draws.

— Wrth gwrs, fe fydd Llywodraeth Ffrainc yn sicrhau bod aelod profiadol o Heddlu Ffrainc yn gweithio ochr yn ochr gyda'n ffrindiau Cymreig ac yn rhoi cyngor iddyn nhw... er bydd y cyfrifoldeb am ddiogelwch Llythyr Pennal yn nwylo swyddogion y Llyfrgell Genedlaethol a'r Cynulliad, dywedodd Michelle Giresse yn Ffrangeg gan wenu ar Vincent Pyrs, a straffaglai i wisgo ei glustffonau i wrando ar y cyfieithiad.

Gwenodd Vincent Pyrs a Moelwyn Drake ar Giresse gan nodio eu pennau yn gytûn.

— Beth ddywedodd e? gofynnodd Vincent i Moelwyn drwy ochr ei geg.

— Sa i'n gwybod, atebodd Moelwyn yn yr un modd.

— Diolch yn fawf am eich gonestfwydd, dywedodd Davina Lewis wrth eistedd.

Gorffennodd y Gynhadledd gyda Gweinidogion Diwylliant Ffrainc a Chymru yn sefyll o flaen Llythyr Pennal ac yn siglo dwylo wrth i ffotograffwyr y Wasg dynnu eu llun.

Cerddodd Davina Lewis at gefn yr ystafell gan wenu ar ambell i newyddiadurwr a dweud ambell i *Bonjour* fan hyn a fan draw. Camodd Davina o'r ystafell, a chyfarch y derbynnydd wrth iddi adael Archifdy Genedlaethol Ffrainc. Cerddodd Davina yn ôl at orsaf Metro Hôtel de Ville a chamu i mewn i doiledau'r merched. Caeodd y drws cyn tynnu ei dannedd cwningen o'i cheg a rhyddhau ei gwallt o'r bwn cyn gadael y ciwbicl a chamu at res o sinciau.

Er mai dim ond am awr roedd Davina Lewis wedi bodoli, eto cyflawnodd ei gwaith. Edrychodd Gwen Vaughan ar ei hadlewyrchiad yn y gwydr uwchben y sinc. Gwenodd yn gam ar ei hadlewyrchiad a winciodd hwnnw'n ôl arni.

Edrychodd ar ei wats. Roedd ganddi bedair awr cyn hedfan o faes awyr Charles de Gaulle i Heathrow a dechrau ar ei thaith i Aberystwyth.

-2-

DDEUDDYDD YN DDIWEDDARACH gyrrai Llew Jones ei Volvo 340 GL ar yr A487 rhwng Aberystwyth a Machynlleth. Er ei bod hi'n bwrw cesair ac yn chwipio rhewi roedd chwys wedi dechrau casglu ar ei dalcen. Roedd yn rhaid iddo ganolbwyntio wrth yrru am nad oedd sychwyr ffenestri'r car yn gweithio. Pwysai Llew ymlaen yn ei sedd nes bod ei drwyn bron â chyffwrdd y sgrin. O bryd i'w gilydd syrthiai'r llwch o'i sigarét i lawr ei ên a gorwedd yn ei farf drwchus.

Byddai Llew'n ddeugain mlwydd oed ymhen mis ac roedd y ffaith ei fod e'n gyrru Volvo 340 GL B rej yn addas iawn. Yn y 1980au a dechrau'r 90au roedd y Volvo 340 yn symbol o statws dosbarth canol Cymreig – car dibynadwy a diogel, addas ar gyfer teuluoedd ifanc, gydag injan gref i dynnu'r garafán i'r Eisteddfod Genedlaethol a digon o le yn y bŵt ar gyfer telyn neu ddwy.

Erbyn hyn yr unig bobl a yrrai'r Volvo 340 rhydlyd fyddai myfyrwyr tlawd neu stelcwyr fel Llew. Roedd Llew, a'r Volvo 340, wedi cael eu dryllio gan amser. Roedd eu poblogrwydd a'u hurddas wedi hen ddiflannu ac reddent wedi tyfu'n hen gyda'i gilydd.

Ond roedd rheswm arall pam fod Llew'n chwysu. Roedd e'n gyrru i Fachynlleth i'w gyfarfod hi.

Y noson cynt, roedd wrthi'n pendroni sut i gyfieithu 'Whatever McDonald's Worker', 'We was on a buzz' a 'Totally Lush' pan ganodd y ffôn. Roedd Llew ar ganol cyfieithu darn tair mil o eiriau ar gyfer adran addysg Cyngor Sir Ceredigion – holiadur ar gyfer pobl ifanc – ac yn hapus i gael saib o'r gwaith a chyfle i siarad â rhywun, hyd yn oed pe baen nhw'n byw yng Nghalcutta ac yn ceisio gwerthu insiwrans iddo.

— Helô, Llew. Gwen sy 'ma. Wnei di gwrdd â mi bore fory am un ar ddeg – o flaen cofgolofn Owain Glyndŵr ym Machynlleth. Wyt ti'n gwybod ble mae hi?

— Y... y... y... ydw... ond...

— Da iawn. Wela i di bryd hynny.

A dyna ni. Dim 'Helô, sut wyt ti'n cadw ar ôl pymtheng mlynedd?'... dim 'wyt ti'n briod?'... dim 'sut gwnest di fwynhau dy dair blynedd yn y carchar?'.

Gyrrodd Llew'r car drwy Eglwysfach gan edrych i'r chwith i gyfeiriad eglwys y pentref lle bu'r bardd R S Thomas yn ficer am gyfnod. Dim ond unwaith y cwrddodd Llew â'r bardd, sef yn ystod gorymdaith Deddf Iaith trwy dref Aberystwyth ym mis Hydref 1989. Roedd Llew a'i ffrind, Gruff Pritchard, yn gwrando ar araith rhywun neu'i gilydd y tu allan i'r Hen Goleg pan welodd Gruff y bardd yn sefyll o'i flaen. Gwaeddodd Gruff.

— R S Thomas!

Eiliad yn ddiweddarach roedd heddwas wrth ei ochr yn sibrwd.

— *Certainly. Which one is he and what has he done?*

Pe bai'r heddwas ond yn gwybod, Llew a Gruff y dylai e fod wedi eu harestio.

Yn ystod gaeaf 1988 roedd Llew a Gruff wedi torri i mewn i swyddfa canghellor y coleg a dwyn cynlluniau cudd i leihau nifer y staff a ddysgai drwy gyfrwng y Gymraeg yn yr adran Hanes. Yna, ym mis Gorffennaf 1989 torrodd y ddau i mewn i swyddfa MEP y Blaid Lafur yng Nghaerfyrddin a darganfod llythyrau gwrth-Gymreig.

Ond llwyddiant mwyaf ysgubol y ddau oedd torri i mewn

i swyddfa Etholaeth y Prif Weinidog, Margaret Thatcher, yn Nwyrain Finchley yn ystod mis Awst 1989 a phaentio 'Rhyddid i Gymru' ar y wal.

Wrth gwrs roedden nhw'n gweithredu mewn cyfnod pan oedd mesurau diogelwch yn llawer mwy cyntefig na heddiw a llwyddodd y ddau i osgoi cael eu dal bob tro.

Cwrddodd Llew â Gwen am y tro cyntaf ar yr un diwrnod ag y gwelodd ef a Gruff R S Thomas. Roedd Llew newydd ddechrau ar gwrs MA mewn hanes tra oedd hithau ym mlwyddyn olaf ei chwrs PhD mewn Hanes Celf.

Eistedd mewn tafarn yn siarad gyda Gruff oedd e pan sylwodd arni'n dadlau gyda grŵp o fyfyrwyr. Mynnai fod Meibion Glyndŵr, drwy losgi tai haf, yn mynd yn groes i ddull traddodiadol cenedlatholwyr Cymreig o weithredu, sef dull di-drais. Bachodd Llew ar y cyfle i siarad â hi yn nes ymlaen y noson honno. Ymhen wythnos roedd y ddau yn gariadon ac ymhen pythefnos roedd hi wedi ymuno â chell gweithredu Llew a Gruff.

Yn ystod gaeaf 1989-90 dechreuodd Llew, Gruff a Gwen feddwl am ddulliau gweithredu gwahanol er mwyn atal pobl rhag prynu tai haf. Un noson wrth i'r tri drafod athroniaethau gwahanol gan gynnwys Bwdistiaeth tarodd Llew ar y syniad nad tân oedd yr ateb ond dŵr. Syniad Llew oedd torri i mewn i dai haf, agor pob tap yn y tŷ gan gynnwys y bath a phob sinc a gadael i'r dŵr orlifo'n dawel drwy'r tŷ am oriau gan bydru'r lloriau.

Yn y cyfnod rhwng mis Mehefin a mis Hydref 1990 llwyddodd y tri i dorri i mewn i chwech o dai haf yng Ngheredigion, Sir Benfro a Sir Drefaldwyn. Ond un noson ym mis Ionawr 1991 aeth pethau'n ffradach ac o ganlyniad arestiwyd Llew. Ymhen chwe mis cafodd ei ddedfrydu a'i anfon i'r carchar am dair blynedd.

Ond ni ddaeth Llew yn arwr pan gafodd ei ddal. Yn hytrach, llwyddodd i danseilio ymdrechion degau, os nad cannoedd, o bobl a fu'n brwydro'n galed dros yr iaith ers blynyddoedd. Roedd wedi dwyn anfri ar genedlaetholdeb ac felly'n wrthun gan bawb oedd yn gysylltiedig â'r achos.

Penderfynodd Llew dderbyn y cyfrifoldeb dros dorri i mewn i'r chwe thŷ. Ni ddywedodd air wrth neb am gyfraniad Gruff na Gwen yn yr achos, er mai Gwen, a Gwen yn unig, oedd ar fai am droi'r weithred wleidyddol yn drosedd gyffredin.

Parciodd Llew y car ym maes parcio Canolfan Hamdden Machynlleth cyn cerdded at gofgolofn Owain Glyndŵr, a godwyd ym Machynlleth yn 2004 i ddathlu chwe chanmlwyddiant sefydlu senedd gyntaf Cymru yn 1404.

Tynnodd Llew sigarét o'i boced cyn aros a'i rhoi'n ôl yn ei blwch. Roedd newydd gofio fod Gwen yn casáu ysmygwyr. Droeon yn ystod eu carwriaeth fer a thymhestlog bu'r ddau'n dadlau am arferiad Llew o smygu.

Roedd tad Gwen wedi marw o ganlyniad i'r ffaith ei fod yn smygu. Nid oherwydd cancr ond am i gerbyd ei fwrw i lawr wrth iddo groesi'r stryd ac yntau ar ei ffordd i'r siop i brynu sigaréts. Roedd Gwen yn ddeng mlwydd oed ar y pryd, a bellach roedd ei hatgasedd at unrhyw beth yn gysylltiedig â sigarennau yn obsesiwn. Eisteddodd Llew ar fainc wrth ymyl y gofgolofn. Chwarddodd wrth feddwl tybed oedd Gwen yn dal i fod mor benderfynol ynglŷn â rhai pethau. Sylweddolodd na fyddai'n ei hadnabod o bosib. Efallai ei bod hi wedi magu pwysau, neu ei bod hi'n gaeth i gadair olwyn. Roedd pymtheng mlynedd yn gyfnod hir. Gallai unrhyw beth fod wedi digwydd iddi.

Yna meddyliodd Llew na fyddai Gwen, efallai, yn ei adnabod e. Roedd e'n pwyso dros bymtheg stôn, yn gwisgo dillad llac ac roedd ganddo farf hir. Edrychai Llew'n hollol wahanol i'r dyn ifanc, tenau a llesg roedd hi'n ei adnabod slawer dydd.

Teimlodd Llew law ar ei ysgwydd. Cododd ar ei draed a throi i edrych. Gwenodd arni. Cafodd sioc o weld nad oedd hi wedi newid fawr ddim. Gwenodd hithau cyn ei fwrw'n galed iawn ar ei ên gyda'i dwrn.

–3–

EISTEDDAI LLEW A Gwen gyferbyn â'i gilydd ym mar cefn tafarn y Wynnstay ym Machynlleth. Pwysodd Gwen ymlaen a dabio ceg Llew gyda'i chadach poced. Roedd gwefus Llew wedi stopio gwaedu erbyn hyn er ei bod wedi chwyddo o ganlyniad i ergyd nerthol Gwen.

— Dyw'r farf ddim yn dy siwtio, dywedodd Gwen cyn sipian ei gwin gwyn.

— A dyw mwstás ddim yn dy siwtio di chwaith, atebodd Llew cyn cymryd dracht o'i goffi.

— Rwyt ti wedi heneiddio, Llew.

— Anghofiest ti ychwanegu 'yn dda', atebodd yntau.

— Ac rwyt ti wedi magu pwysau, Llew... lot o bwysau.

Pymtheng mlynedd ers iddynt gyfarfod ac roedd y ddau'n dal i gecran. Doedd rhai pethau'n newid dim gan gynnwys ei phrydferthwch, meddyliodd Llew. Ar ôl tipyn o ymdrech, llwyddodd i droi ei olygon o'r llygaid mawr brown a syllai arno at y gwefusau cil agored y byddai e'n arfer ysu eu cusanu a'r clustiau meddal y byddai e'n eu cnoi'n dyner wrth garu.

Caeodd Llew ei lygaid gan geisio gwneud synnwyr o'r sefyllfa.

— Aros funud. Rwyt ti'n rhedeg i ffwrdd a dianc. Rwy i'n mynd i'r carchar. A'r tro nesa ry'n ni'n cwrdd, ti sy'n 'y mwrw i!

— Dau reswm. Yn gynta oherwydd i ti fod mor gyfoglyd o fonheddig yn dweud dim byd amdana i wrth yr heddlu.

— Ac yn ail?

— Ac yn ail, dwyt ti ddim wedi rhoi'r gorau i smygu. Gwnes i arogli'r mwg ar dy anadl, gorffennodd Gwen gan bwyso'n ôl yn ei sedd ac astudio Llew unwaith eto.

Edrychai fel dyn wedi ildio pob uchelgais mewn bywyd, wedi magu tair neu bedair stôn o bwysau ac yn gwisgo fel trempyn. Ond doedd hynny ddim yn bwysig i Gwen. Roedd hi angen ateb i un cwestiwn. Oedd tân cenedlaetholdeb yn dal i losgi yn ei galon?

Cododd Llew ar ei draed.

— Wel, roedd hi'n hyfryd dy weld ti. Dylen ni wneud hyn yn rheolaidd. Fe wela i di yn y flwyddyn 2021, meddai ac estyn ei law i Gwen. Cofia beidio â chadw mewn cysylltiad, os galli di beidio, dywedodd Llew gan droi ar ei sodlau a cherdded i ffwrdd.

— Llew! Rwy i angen dy help di, ebychodd Gwen. Trodd Llew ac wynebu Gwen.

— Mae'n flin gen i, Gwen, ond mae gen i wraig a thri o blant. 'Se hi'n gwbod 'mod i wedi dod i dy gyfarfod di... wel... mae hi'n fenyw genfigennus iawn, ond yn ddigon cariadus hefyd.

— Beth yw enwau'r plant?

— Y plant?

— Ie, y plant!

— Wel, mae... y... y... y, yr un hyna... yyy Arthur... yn saith nawr... real smasher. Mae'r un nesaf... Llywelyn... yn bedair, na, yn bump...

— Beth yw enw'r llall, Jenkins? A pham nad oes gen ti fodrwy ar dy fys?

— Wel... Olreit... dyma'r hanes yn fyr. Des i allan o'r carchar a byw gyda Dad tan iddo farw'r llynedd. Rwy'n byw ar 'y mhen 'yn hunan mewn tyddyn ar lethrau Pumlumon. Yr unig fenywod yn 'y mywyd yw'r merched sydd ar BigTits. co.uk. Wyt ti'n hapus nawr? Ydw, rwy'n fethiant, yn fethiant llwyr, dywedodd Llew gan eistedd unwaith eto.

Crychodd Gwen ei hwyneb cyn pwyso ymlaen yn ei sedd.

— Llew, rwy i mewn helynt mawr ac angen dy help di.

— Paid â meddwl gofyn am arian. Rwy'n ennill tua deuddeng mil y flwyddyn drwy gyfieithu ac mae 'nghar i ar ddiffygio. Mae Gwynfor Evans wedi marw, mae cenedlaetholdeb wedi marw a dwi ddim yn teimlo'n rhy iach fy hunan...

— Dere 'da fi. Rwy i eisiau dangos rhywbeth i ti, dywedodd Gwen gan orffen ei diod a chodi.

Wrth i'r ddau gerdded at gar Gwen esboniodd ei bod hi, ers iddynt gyfarfod ddiwethaf yn 1991, wedi symud i Lundain i orffen ei PhD cyn cael swydd gyda chwmni arwerthwyr Sothebys yn ymchwilio i hanes y lluniau a ddeuai i'r cwmni. Tair blynedd ynghynt penderfynodd symud i Baris i weithio fel arbenigwraig ar luniau o'r bymthegfed ganrif ar gyfer cwmnïau arwerthu yn Ffrainc.

Erbyn hyn roedd y ddau wedi cyrraedd car Gwen.

— Ble ry'n ni'n mynd? gofynnodd Llew.

— Taith tair milltir, atebodd Gwen cyn ailgydio yn ei stori. Roeddwn i'n gysylltiedig â gwerthiant preifat rhwng dyn busnes yn Llundain ac un ym Mharis. Penderfynais ddod â llun i mewn i Ffrainc heb ddatgan ei fodolaeth. Roedd y llun – triptych gan Hieronymous Bosch – yn werth £800,000 a byddwn wedi gorfod talu tua £80,000 mewn treth i ddod â'r llun i'r wlad. Ym maes awyr Charles de Gaulle, cyn i deithwyr gyrraedd safle'r tollau mae coridor yn fforchio'n ddwy ran, un coridor yn tywys teithwyr rhyngwladol at safle'r tollau ond y coridor arall ar gyfer teithwyr mewnol Ffrainc, lle nad oes angen talu tollau. Felly, yn lle troi i'r chwith troais i'r dde gan ddisgwyl cerdded trwyddo heb unrhyw ffwdan. Ond stopiodd aelod o'r adran dollau fi a darganfod y llun.

Rwy'n amau bod rhywun o'r byd celf yn genfigennus o'm rhan yn y gwerthiant ac wedi 'mradychu. Wrth gwrs gwnes i esgus 'mod i wedi gwneud camgymeriad wrth gerdded lawr y coridor anghywir. Mae awdurdodau Ffrainc wedi mynnu 'mod i'n talu'r £80,000 o dreth erbyn diwedd mis Mawrth neu mi fydda i'n cael fy nedfrydu am dwyll. Gorffennodd Gwen ei hanes wrth i'r car gyrraedd pentref Pennal.

— Pam na wnei di redeg i ffwrdd? gofynnodd Llew.

— Mae gen i bum mil o bunnoedd yn fy nghyfri yn y wlad 'ma, ond mae'r awdurdodau wedi rhewi 'nghyfrifon banc yn Ffrainc. Deng mil Ewro, esboniodd Gwen gan barcio'r car y tu allan i eglwys y pentref.

— Sut yn y byd wyt ti'n mynd i godi £80,000 mewn mis? gofynnodd Llew.

— Dere 'da fi, dywedodd Gwen gan gamu o'r car.

-4-

TAIR MILLTIR I'R gogledd o Fachynlleth mae Pennal. Mae'n bentref enwog oherwydd mai yno yr ysgrifennwyd y llythyr gan y Canghellor Gruffudd Young ar ran Owain Glyndŵr. Caiff copi o'r llythyr ei arddangos yng nghefn yr Eglwys er mwyn atgoffa ymwelwyr o bwysigrwydd Pennal yn hanes Cymru.

Cerddodd Gwen a Llew drwy'r fynwent a chyrraedd drws yr eglwys.

— Damio, mae e ar gau, dywedodd Gwen gan edrych o'i chwmpas.

Eiliad yn ddiweddarach gwelodd y ddau hen fenyw'n brysio tuag atynt drwy'r fynwent.

— Helô. Alla i'ch helpu chi? gofynnodd hi.

— Ro'n ni'n gobeithio gweld y copi o lythyr Pennal, atebodd Gwen gan wenu'n wylaidd.

— O! Wrth gwrs, atebodd yr hen fenyw. Gan ei bod yn byw gyferbyn â'r eglwys hi oedd yn gyfrifol am agor a chloi drws yr eglwys.

— Mae'n flin gen i fod y drws ar gau ond torrodd rhywun

i mewn i'r eglwys yn ystod yr hydref. Wnaethon nhw ddim dwyn unrhyw beth ond, ers hynny, ry'n ni wedi penderfynu cau'r eglwys yn ystod y dydd. Cymerwch eich amser a dewch â'r allwedd yn ôl i fi yn y tŷ draw fan'na ar ôl i chi orffen, meddai wrth frysio i ffwrdd.

Camodd Gwen a Llew i mewn a cherdded at gefn yr eglwys lle'r oedd copi o'r llythyr mewn cas arddangos.

— Llythyr Pennal, dechreuodd Gwen... a ysgrifennwyd gan Gruffudd Young ar Fawrth y chweched 1406 ym Mhennal...

— Rwy'n gwybod, s'mo ti'n cofio, gwnes i 'nhraethawd MA ar bolisi... dywedodd Llew cyn i Gwen ymyrryd.

— ...Tramor Glyndŵr ... rwy'n gwybod ... dyna pam ro'n i'n meddwl y byddai'r syniad yn apelio atat ti.

— Pa syniad?

— Dwyn y llythyr gwreiddiol, atebodd Gwen gan wenu ar Llew. Mae llythyr Pennal yn cael ei arddangos yn Llyfrgell Genedlaethol Cymru o fis Mawrth tan ddiwedd mis Mai. Mae'r llythyr a'r sêl yn werth o leiaf £700,000.

— Na!

— Ond gwranda...

— Gad i mi ddeall hyn yn iawn. Rwyt ti'n gyfrifol am bopeth sydd wedi mynd o'i le yn 'y mywyd i a nawr rwyt ti'n gofyn i mi geisio, a hwn yw'r gair pwysig, ceisio, dwyn Llythyr Pennal, gweithred fyddai'n sicrhau 'mod i'n mynd i'r carchar am... o leia ddeng mlynedd. Gwranda, Gwen. Rwy'n rhydd, mae gen i 'ngwaith cyfieithu, mae gen i fy llyfrau, Cds, Big Tits.co.uk a dwi'n hapus fel rydw i, diolch.

— Rwyt ti wedi marw, Llew. Edrych ar dy hunan. Rwyt ti wedi gadael i dy hun a dy egwyddorion i fynd efo'r saith gwynt...

— Naddo. Pawb arall wnaeth rhoi'r ffidil yn y to.

— Dyma dy gyfle di 'te. Mi wna i gymryd y sêl, sy'n werth £100,000 a galli di gadw'r llythyr tan y bydd Ffrainc yn cytuno i drosglwyddo'r llythyr i Gymru, am byth. Mae hyn yn gyfle i ti ennill dy hunan-barch yn ôl, cyfle i ti ddangos i bawb bod rhywun yn dal i frwydro dros Gymru. Hyd yn oed os cei di dy ddal fe gei di barch gan y bobl. Rwy'n rhoi cyfle i ti anghofio am y pymtheng mlynedd diwetha ac ailddechrau...

Edrychodd Llew'n daer ar Gwen am eiliadau hir, cyn dweud,

— Oes cynllun 'da ti?

— Rwy'n bwriadu mynd i mewn i'r Llyfrgell a chyfnewid y llythyr gyda chopi.

— S'mo ti'n meddwl defnyddio'r copi hwn, wyt ti? gofynnodd Llew gan edrych yn hir ar y llythyr yn y cas. Chwarddodd Gwen gan edrych ar y llythyr am eiliad.

— Na, mae hwnna wedi treulio gormod, ychwanegodd cyn estyn i mewn i'w bag llaw a thynnu dogfen wedi ei rholio ohono. Dyma gopi a wnaeth un o'm cysylltiadau yn Ffrainc i fi, dywedodd Gwen gan agor y ddogfen a dangos copi ysblennydd o lythyr Pennal. Estynnodd Llew ei law i afael ynddo.

— Na, dwi ddim eisiau i neb gyffwrdd yn y llythyr. Cofia, hwn fydd y llythyr y bydd yr awdurdodau'n edrych arno. Dyna pam rwy'n gwisgo menig. Wel, wyt ti'n gêm?

Safodd Llew'n stond am eiliadau hir yn meddwl am eiriau Gwen. Ond nid am Gymru nac ychwaith am y cyfle i ddadreibio'r gorffennol y meddyliai. Doedd e ddim wedi ei chyfarfod ers pymtheng mlynedd. Hi oedd yr unig ferch y gwnaeth ef ei charu erioed. Pe bai'n gwrthod ei chynnig, mae'n bosib na fyddai e'n ei gweld byth eto. Gwyddai ei fod yn dal i'w charu a byddai hyn yn gyfle iddo dreulio tair wythnos yn ei chwmni. Oedd hi'n werth mentro colli ei ryddid a threulio'r degawd nesaf yn y carchar er mwyn bod yng nghwmni Gwen? Dim ond ynfytyn fyddai'n cytuno i gymryd rhan yn ei chynllun penchwiban.

— Ydw, mi wna i, dywedodd Llew'n dawel.

Gwenodd Gwen cyn cofleidio Llew a phlannu cusan ar ei foch.

— Sawl person arall fydd yn ein helpu ni i ddwyn y llythyr? gofynnodd.

— Rwy i angen dau arall. Mae gen i un mewn golwg, ac ro'n i'n gobeithio y byddet ti'n gallu awgrymu rhywun addas, dywedodd Gwen.

— Dim ond un person... ond dwyt ti ddim yn mynd i hoffi'r syniad.

— Pwy yw e neu hi?

— Gruff.

Cymerodd Gwen gam yn ôl.

— Gruff! Ond mae e'n 'y nghasáu i... ac mae e'n drewi.

— Maen nhw wedi dyfeisio Lynx Africa ers 1990, atebodd Llew.

— Ble mae e'n byw nawr?

— Manceinion.

— Strangeways?

Chwarddodd Llew.

— Agos...

-5-

EISTEDDAI LLEW A Gwen yn yr Oriel Gyhoeddus, yn Llys yr Ynadon, Manceinion. Roedd Gruff wedi dweud wrth Llew y byddai'n ei gyfarfod yn y dafarn gyferbyn â'r Llys toc wedi pump o'r gloch. Yn ystod y prynhawn penderfynodd Llew y dylai Gwen weld Gruff yn y llys.

— Ble mae e? gofynnodd Gwen gan edrych o gwmpas y llys. Ar y pryd roedd dyn ifanc o flaen ei well am ddwyn chwe peiriant CD o geir ym maes parcio Gorton ym Manceinion.

Yr unig bobl eraill yn y Llys oedd y tri ustus, clerc y llys, cyfreithiwr y dyn ifanc, cyfreithiwr y CPS, newyddiadurwraig a gofnodai achosion y dydd ar gyfer papur lleol, a stenograffydd y llys – dyn byr, tew oedd yn dechrau colli ei wallt a eisteddai gyferbyn â'r clerc yn teipio pob gair a lefarwyd yn y llys.

Dedfrydwyd y dyn ifanc i ymddangos o flaen ei well unwaith eto ymhen pythefnos pan fyddai ei adroddiad seiciatryddol wedi ei baratoi.

— Sa i'n synnu eu bod nhw angen adroddiad seiciatryddol os gwnaeth e ddwyn CDs Chris de Burgh a Daniel O'Donnell, dywedodd Llew.

— *All rise*, gwaeddodd clerc y llys i ddynodi bod gwaith y llys ar ben.

Trodd Gwen at Llew.

— Wedest ti y byddai Gruff yn ymddangos o flaen ei well.

— Wedes i y bydde fe yn y llys, chwarddodd Llew. Rwyt ti'n cofio Gruff fel dyn ifanc tenau gyda ffrwd o wallt du cyrliog, ychwanegodd gan bwyntio at y stenograffydd.

— Fe! Ond pwtsyn bach moel a thew yw hwnna. Ble mae 'i wallt e? holodd Gwen.

— Diflannodd e. Fel y gwnest ti! atebodd Llew gan godi o'i sedd.

-6-

TUA CHAN LLATH o'r Llys Ynadon mae dwy dafarn gyferbyn â'i gilydd. Yn y Pen and Wig y bydd y cyfreithwyr, clerciaid, heddweision, ac aelodau eraill y system gyfreithiol yn ymgynnull.

Yr ochr arall i'r stryd mae tafarn y Billy Green lle bydd y diffynyddion a'u ffrindiau'n ymgynnull i ddathlu neu i gydymdeimlo â'i gilydd yn dilyn eu hachosion llys, gan sgwrsio am y diwydiant sy'n galluogi swyddogion y gyfraith i yfed gwin yn y Pen and Wig.

Eisteddai Llew a Gwen mewn cornel dywyll yn nhafarn y Billy Green gan aros am ddyfodiad Gruff. Wrth eu hymyl dadleuai dwy fenyw am bris cot Parka roedd un ohonyn nhw wedi ei dwyn o Primark a dadleuai dau ddyn am y ffordd orau i osgoi cael eu chwistrellu gan nwy CS.

Yna sylwodd Llew ar Gruff yn cyrraedd y dafarn a gwaeddodd arno.

— Os wyt ti'n mynd i gyfarfod â lleidr mae'n well ei gyfarfod lle bydd lladron eraill yn ymgynnull, meddai Gruff wrth Llew wedi iddo gyrraedd y bwrdd. Yna trodd Gruff at Gwen, yn eistedd â'i phen wedi 'i blygu a'i gwallt tros ei hwyneb.

— Llew! Ddywedest ti ddim wrtha i dy fod ti wedi cael cariad, dywedodd cyn i Gwen godi ei phen a gwenu arno.

— Iesu Grist. Beth mae honna'n neud 'ma?

— Helô, Gruff, dywedodd Gwen.

— Ta, ta, Gwen, oedd ateb Gruff gan symud i adael.

— Eistedd i lawr, Gruff. Does gen *ti* ddim dadl 'da Gwen, dechreuodd Llew.

— Heblaw am yr hyn wnaeth hi i ti, meddai gan boeri'r geiriau'n sarhaus.

— Eistedd a challia. Maddau i ni ein dyledion ac yn y blaen. Beth wyt ti'n moyn i yfed? gofynnodd Llew.

— Peint o Boddingtons, atebodd yn swrth gan eistedd gyferbyn â Gwen. Cododd Llew a mynd at y bar i brynu rownd o ddiodydd i'r tri.

— Dwyt ti ddim wedi newid dim, dywedodd Gruff gan lygadu Gwen yn graff.

— Diolch, atebodd yn dawel.

— Yn wahanol i mi, wrth gwrs. Gormod o barm cakes a Boddingtons, rwy'n ofni? Penderfynodd fod yn sifil wrth Gwen o barch i Llew.

— Ers pryd wyt ti wedi bod yn gweithio yn y Llys? gofynnodd Gwen.

— Ar ôl i Llew gael ei ddal fe wnes i orffen 'y nghwrs ymarfer dysgu cyn cael swydd yn dysgu Ffrangeg yn ardal Burnage yn mis Medi 1991. Madchester oedd y lle delfrydol i fyw pry'ny. Y Stone Roses, yr Happy Mondays, Pils Thrils a Bola Tost. Fe wnes i bara tri mis yn y swydd a bues i'n ddi-waith tan i mi weld hysbyseb yn y *Manchester Evening News* yn gofyn am stenograffyddion i weithio yn y llysoedd.

— Mae'r swydd yn un rhwydd ac mae byw ym Manceinion yn rhoi'r cyfle i fi weld pêl-droed ffantastig yn Old Trafford. Yn anffodus rwy'n dilyn Man City, felly mae'n rhaid i fi ddygymod â'u gwylio nhw a Stockport County.

Dychwelodd Llew gyda'r diodydd ac eistedd ar bwys Gwen.

— Dwyt ti ddim yn meddwl bod y swydd yn un ddiflas? holodd Gwen.

— Mae gan y swydd ei manteision, atebodd Gruff gan wenu ar Llew cyn cymryd dracht o'i beint o Boddingtons.

— Gallet ti ddisgrifio Gruff fel chwilotwr talent, dywedodd Llew.

Pwysodd Gruff ar draws y bwrdd gan sibrwd wrth y ddau.

— Rwy'n cael 'y nhalu swm sylweddol gan *firms* Manceinion i ysgrifennu adroddiad misol iddyn nhw am ddiffynyddion talentog sy'n ymddangos yn y llys. Caiff rhai pobl alluog eu dal am eu bod nhw'n gysylltiedig â lladron anobeithiol, meddai gan edrych ym myw llygaid Gwen.

— *Touché*, meddai Gwen gan godi ei gwydr i Gruff.

— Meddylia am bêl-droediwr gwych fel Ian Rush yn chwarae i dîm gwael fel Caer. Gwnaeth sgowt ei ddarganfod a'i anfon i chwarae dros Lerpwl. Yn yr un modd, gwaith Gruff yw sicrhau bod lladron o safon uchel yn cael y cyfle i weithio gyda lladron o'r un safon, esboniodd Llew.

— Ydy'r gwaith yn talu'n dda?

— Tipyn gwell na bod yn stenograffydd. Byddwn i wedi rhoi'r gorau i'r swydd flynyddoedd yn ôl pe bawn i ddim yn ennill yr arian ychwanegol am fy adroddiadau misol. Wedi'r cyfan do'n i erioed yn hoff iawn o awdurdod, meddai Gruff gyda gwên wrth orffen ei beint mewn un dracht.

— Wyt ti'n colli gweithredu? holodd Gwen yn slei.

— Wrth gwrs. *Bliss it was in that dawn to be alive but to be young was very heaven! Où sont les neiges d'antans!*

— Wel, mae gan Gwen gynnig a fydd yn rhoi'r cyfle i ti ailafael yn dy ieuenctid, dywedodd Llew'n awgrymog.

— Gwell i ni fynd i rywle tawelach, te. Mae fan hyn yn llawn lladron.

-7-

— Mae'r lle 'ma'n glyd iawn, canmolodd Gwen wrth eistedd ar soffa ledr Gruff yn ei dŷ teras yn Romiley.

— Hen bobl wedi ymddeol sy'n byw yn y rhan yma o Romiley, meddai Gruff gan gerdded i mewn o'r gegin gyda thri chwpaned o goffi.

Cyneuodd Gruff sigarét Gitanes a chynnig un i Llew.

— Ugh Gitanes! dywedodd Gwen fel chwip.

— Rwy'n eu cael nhw, wel, gan bobl rwy'n eu nabod sy'n eu mewnforio i'r wlad 'ma o Dieppe, dywedodd Gruff gan estyn sigarét i Llew.

— Dyw Llew ddim yn smygu rhagor, dywedodd Gwen yn awdurdodol.

— Ers pryd? gofynnodd Gruff yn syn.

— Ers iddo ofyn i mi aros gydag e tra bydda i'n aros yng Nghymru. Ac fe fydd yn rhaid i ti beidio smygu o 'mlaen i os wyt ti eisiau clywed am y cynllun, gorffennodd Gwen yn awdurdodol.

— Iawn, atebodd Gruff yn ddiflas gan ddiffodd ei sigarét.

— Pryd? Pam? Ble? A Sut?

Dechreuodd Gwen esbonio ei syniad i ddwyn llythyr Pennal. Pan orffennodd pwysodd Gruff ymlaen yn ei sedd.

— Felly, byddi di'n cadw'r sêl a'i gwerthu am gan mil ond beth fyddwn ni'n dau'n ennill o'r fenter? gofynnodd Gruff.

— Byddwn ni'n sicrhau bod y llythyr yn dychwelyd i Gymru, dywedodd Llew yn gyflym. Gwgodd Gruff ar Llew cyn dweud,

— Dyma dri rheswm pam na ddylwn i'ch helpu chi: yn gyntaf, dim byd personol, ond rwy'n casáu Gwen. Yn ail, dwi wir, wir yn ei chasáu hi.

— Ac yn drydydd? gofynnodd Llew.

— Ac yn drydydd, methu wnawn ni. Wedi dweud hynny, yr unig beth cyffrous rwy'n ei wneud ar hyn o bryd yw mynd am ambell i benwythnos i'r Peak District gyda gwragedd cyfreithwyr sydd hefyd wedi syrffedu ar eu bywydau bach diflas. Rwy'n bored, bored, bored.

— Wnei di'n helpu ni, te? gofynnodd Gwen.

— Wrth gwrs.

— Gei di dy ryddhau o'r gwaith?

— Rwy'n nabod GP amheus. Bydde fe'n fodlon arwyddo ffurflen a rhoi mis bant i fi.

— Diolch, Gruff, meddai Gwen.

— Rwy'n gwneud hyn er mwyn Llew, cofia. Dwi ddim yn dy drystio di, Gwen, ac os gwnei di'i fradychu fe 'to, gwna i'n siŵr y bydd twll dy din di'n cwrdd â dy drwyn di.

— Digon teg, meddai Gwen

— Reit at fusnes. Sut ych chi'n bwriadu dwyn y llythyr? gofynnodd Gruff.

— Scam. Y *Three Card Monty*, atebodd Llew.

— Lyfli. Dull di-drais. Byddai Ffred Ffransis yn dod yn ei bans! Oes 'da chi rywun ar y tu fewn?

— Mae 'da fi rywun mewn golwg. Cer i bacio dy fagie. Rwyt ti'n dod i aros 'da ni, meddai Llew gan wincio ar Gruff.

−8−

CYNEUODD JOHN LAZARUS sigâr cyn chwythu'r mwg o'i geg mewn un stribedyn hir a chymryd llwnc hir o wydraid o win coch.

— Gadewch i mi ddeall hyn yn iawn. Rych chi'n gweithio i'r rhaglen deledu *Y Byd ar Bedwar*? gofynnodd John gan hanner cau un llygad.

— Cywir, meddai Llew, a eisteddai ar soffa yn ystafell fyw John Lazarus ar gyrion pentref Llanilar, tair milltir i'r de o Aberystwyth.

— Ac ry'ch chi'n gwneud rhaglen ddogfen i ddarganfod a yw cyfleusterau diogelwch y Llyfrgell Genedlaethol yn ddigon da i atal rhywun rhag dwyn Llythyr Pennal?

— Cywir, meddai Gruff, a eisteddai wrth ochr Llew.

— Ac ry'ch chi eisiau i mi gyfrannu i'r rhaglen?

— Cywir, meddai Gwen, a eisteddai'r ochr arall i Llew.

Chwythodd John Lazarus stribedyn hir o fwg i gyfeiriad Gwen a'i gorfodi i beswch. Ysai Gwen ddweud wrth Lazarus am ddiffodd y sigâr ond doedd hi ddim eisiau ei gynhyrfu.

— Arhoswch eiliad, dywedodd Lazarus wrth geisio codi o'i gadair. Wps. Ges i gwpwl o beints yn nhafarn y pentre'r prynhawn 'ma, meddai wrth adael yr ystafell.

Edrychodd Gwen, Llew a Gruff ar ei gilydd yn betrusgar.

— Fydd hwn yn fodlon 'yn helpu ni? gofynnodd Llew.

— Ydy hwn yn gallu 'yn helpu ni? gofynnodd Gruff.

— Ydyn ni moyn iddo fe 'yn helpu ni? gofynnodd Gwen.

Edrychodd Llew o gwmpas yr ystafell fyw. Sylwodd fod dros gant o gasetiau fideo wedi eu trefnu ar res o silffoedd yng nghefn yr ystafell.

Dychwelodd Lazarus i'r ystafell funud yn ddiweddarach. Ond dim ond ei ben a welai'r tri oherwydd roedd e'n cario hanner dwsin o ffeiliau trwchus. Rhoddodd Lazarus nhw ar y bwrdd o flaen y tri darpar newyddiadurwr.

— Rych chi'n hoff iawn o fideos, Mr Lazarus, dywedodd Llew gan amneidio i gyfeiriad y silffoedd yn llawn casetiau fideo o ffilmiau Rhyfel gan gynnwys clasuron fel *Kelly's Heroes*, *The Wild Geese* a'r *Guns of Navarone*.

— Beth? O! Y rheina. Mae gen i CCTV personol sy'n cadw llygad ar unrhyw un sy'n dod i'r tŷ. Mae plant y pentre 'ma'n ddiawled, dywedodd Lazarus.

— Na. Dim y tapiau gwag. Ro'n i'n cyfeirio at y casgliad enfawr o ffilmiau rhyfel.

— Wel, mae gen i gefndir milwrol. Dyna sut y ces i swydd pennaeth Adran Ddiogelwch Lawysgrifau yn y Llyfrgell. Ond alla i ddim siarad am y peth... Official Secrets Act... Rwy i wedi dweud gormod yn barod... Nawr, te, *Y Byd ar Bedwar*, dywedodd Lazarus gan agor un o'r ffeiliau a dechrau byseddu'r tudalennau.

— Aha! Dyma fe. Llythyr gan uwch gynhyrchydd *Y Byd ar Bedwar*, y trydydd o Dachwedd 2002, tri mis wedi i mi golli fy swydd. Mae'r llythyr yn bendant na fyddai fy nghwynion personol i am y Llyfrgell yn addas ar gyfer rhaglen ddogfen, meddai Lazarus cyn trosglwyddo'r llythyr i Llew.

— Digon gwir. Ond mae tîm golygyddol newydd wrth y llyw, Mr Lazarus. Ac rydyn ni'n rhagweld y bydd eich cwynion yn rhan ganolog o'r rhaglen, dywedodd Llew'n gelwyddog.

— Mae rhaid i chi ddatguddio Vincent Pyrs a Moelwyn Drake am eu bod nhw'n gachwyr o'r radd eithaf, meddai Lazarus gan dynnu ar ei sigâr unwaith eto a chwythu stribed arall o fwg i gyfeiriad Gwen.

Roedd John Lazarus yn dal i yfed. Ac yntau yn ei bum degau cynnar roedd ei wyneb cyn goched â'r gwin.

— Wnaethon nhw 'mradychu i. Roedd Drake eisiau fy swydd i, ond bydde'r byggar 'na'n methu dal annwyd mewn cwt ieir. Fe raffodd gelwydde i achub croen ei din, hynny sy 'da fe, taranodd Lazarus.

— Beth ddigwyddodd? gofynnodd Gwen.

Esboniodd Lazarus y rheswm am ei gasineb tuag at Vincent Pyrs, Moelwyn Drake a'r Llyfrgell Genedlaethol.

— Llwyddodd Peter Bellwood i ddwyn gwerth £100,000 o bunnoedd o fapiau drwy eu torri o lyfrau gyda raser, dechreuodd Lazarus. — Ro'n i wedi bod yn y swydd ers dwy flynedd. Yn sgil digwyddiadau 9-11 penderfynais y byddai pawb a fyddai'n ymweld â'r llyfrgell yn cael ei archwilio – *zero tolerance*.

Ond, yn anffodus, gwnaeth un neu ddau ddigwyddiad anffodus danseilio'r polisi. Cyhuddwyd un neu ddau o'r staff diogelwch am iddyn nhw roi eu dwylo mewn llefydd na ddylen nhw. Heb sôn am y digwyddiad anffodus hwnnw pan dynnwyd dyn o'i gadair olwyn oherwydd bod un o'r bois diogelwch yn mynnu ei fod e wedi dwyn llyfr a'i guddio o dan sedd y gadair.

Felly, mynnodd Vincent Pyrs na ddylwn i archwilio pawb. Yn anffodus, fe gytunais i, a doedd gen i ddim tystiolaeth i brofi mai ei syniad e oedd hynny. Pan wnaeth yr heddlu ddarganfod fod Bellwood wedi dwyn y mapiau, chwe mis yn ddiweddarach, dywedodd Pyrs mai fi benderfynodd rhoi terfyn ar y polisi *zero tolerance* a chefnogodd Drake e – y cachwr. Gair y ddau ohonyn nhw yn erbyn 'y ngair i. Doedd gen i ddim tystiolaeth. Ta ta, John Lazarus.

Gorffennodd Lazarus ei araith drwy agor potel arall o

win a chynnu sigâr arall.

— Wrth gwrs fe wnes i ysgrifennu at y *Daily Post*, *Western Mail*, y *Byd ar Bedwar*, hyd yn oed y *Cambrian News* ond doedd dim diddordeb 'da dim ohonyn nhw. Litigation Maniac, dyna alwodd un newyddiadurwr fi. Dim ond dwsin o weithie ro'n i wedi ei ffonio fe'r bore 'ny, chwarddodd Lazarus. — Bachodd y Misys ar y cyfle i hel ei phac ac ers hynny fy unig gysur yw 'nheclynnau trydanol, a'r cwrw a'r gwin, wrth gwrs, dywedodd Lazarus gan wenu'n drist am eiliad cyn i gwmwl du groesi wyneb Gwen unwaith eto. Ond, byddwn i'n gwneud unrhyw beth i ddial ar y ddau 'na, taranodd Lazarus, cyn codi o'i gadair.

— Byddwn i'n torri eu gyddfau fel y gwnes i i filwyr yr MPLA yn Umbatu Gorge. Mozambique, 1978. Dyddiau da. Ro'n i'n ymladd gyda Mad Mike Hoare a Major Marjoribanks-Spiggott. Ond, rwy i wedi dweud gormod, er gwnawn i unrhyw beth i ddial ar y ddau 'na, meddai Lazarus yn fygythiol.

— Unrhyw beth? gofynnodd Gruff.

— Unrhyw beth, atebodd Lazarus yn chwyrn.

— Fyddech chi'n fodlon ein helpu ni i dorri i mewn i'r Llyfrgell a dwyn y llythyr? gofynnodd Llew gan gymryd siawns.

— Unrhyw beth.

— Hyd yn oed er nad ydyn ni'n newyddiadurwyr? gofynnodd Gwen.

— Unrhyw beth, cadarnhaodd Lazarus.

— Reit, meddai Gwen cyn cymryd y sigâr oddi arno, a mynd â'r botel win i'r gegin. Yna, fe ddychwelodd gyda pheint o ddŵr a'i daflu dros wyneb John Lazarus.

— Nawr, te, Lazarus, mae'n amser i ti atgyfodi!

-9-

CAMODD FABIAN DEFARGE o'i Citroen XL a gweld adeilad y Llyfrgell Genedlaethol yn ei holl ogoniant. Cyneuodd sigarét gan syllu ar y lle gwahanglwyfus oedd yn debyg i fersiwn anferth o gacen briodas. Stopiodd am eiliad i feddwl beth oedd ei gyn-wraig yn ei wneud bellach. Roedd ei briodas wedi chwalu ddeng mlynedd yn ôl wedi pedair blynedd o briodas o ganlyniad i bwysau gwaith Defarge. Ond doedd Fabian Defarge ddim yn ddyn sentimental. Roedd e'n briod i'w waith ac i'r gorchmynion a dderbyniai. Rhaid oedd dilyn cyfarwyddiadau ei feistr – pennaeth y Weinyddiaeth Ddiwylliant, Michelle Giresse.

Bellach yn bedwar deg pum mlwydd oed roedd Defarge wedi cael gyrfa lwyddiannus yn gwasanaethu Llywodraeth Ffrainc. Ymunodd â'r heddlu yn dair ar hugain mlwydd oed a chafodd ei ddyrchafu'n gyflym wedi iddo ymuno ag adran y gynnau tactegol, ddwy flynedd yn ddiweddarach. Yn ystod canol yr wyth degau roedd e'n rhan o'r tîm oedd yn gyfrifol am warchod yr Arlywydd, Francois Mitterand. Tair blynedd yn ddiweddarach, fe gafodd ei ddyrchafu'n arolygydd Heddlu Arbennig Ffrainc. Yna yn ddeugain mlwydd oed, oherwydd ei ddiddordeb mewn celf, cafodd ei ddyrchafu i swydd Prif Arolygydd Adran Twyll Celf yr Heddlu.

Yn ystod y pum mlynedd diwethaf roedd ef a'i sgwad wedi llwyddo i atal degau o gynlluniau i ddwyn lluniau o brif amgueddfeydd Ffrainc. Yn sgil ei lwyddiant, roedd Michelle Giresse wedi mynnu mai Defarge fyddai'n gyfrifol am oruchwylio Llythyr Pennal tra byddai'r llythyr yng Nghymru.

Camodd Defarge yn bwrpasol at fynedfa'r llyfrgell. Cerddodd drwy ddrws y brif fynedfa lle arhosai Vincent Pyrs a Moelwyn Drake i'w groesawu.

— Bore da, Monsieur Defarge. Siwrne dda gobeithio, dywedodd Vincent Pyrs yn araf yn Saesneg, sef yr unig iaith y medrai'r ddau gyfathrebu ynddi.

— Gweddol, atebodd Defarge.

— Ydych chi eisiau paned? Maen nhw'n gwneud *cafe au lait* hyfryd yn y ffreutur.

— Na, rwy i eisiau gweld eich system ddiogelwch cyn gynted â phosib, atebodd Defarge yn swrth.

— Wel, Monsieur Drake dyma bencadlys ein Hadran Ddiogelwch.

Ar ôl i Defarge a Drake gyfarch ei gilydd dechreuodd Drake a Pyrs dywys Defarge o gwmpas y Llyfrgell.

— Fel y gwelwch, mae camerâu CCTV ymhobman, mae gennym aelodau o'r Adran Ddiogelwch wrth bob mynedfa sy'n sicrhau bod pob bag yn cael ei archwilio. Rwy i wedi sefydlu polisi *zero tolerance.* Yn ogystal, fe fydd dau aelod o'r staff yn gwarchod ystafell yr arddangosfa bedair awr ar hugain y dydd, dywedodd Drake yn llawn balchder.

— Ydyn nhw'n brofiadol? gofynnodd Defarge.

— Ydyn wir. Mae'r ddau fydd yn gweithio ar y shifft nos yn insomniacs. Felly fe fyddwn ni'n iawn fan'na, atebodd Drake gan wincio ar Defarge a edrychai'n syn arno.

— Ble mae fy swyddfa i? gofynnodd Defarge yn swta i Vincent Pyrs.

— Oherwydd diffyg gofod fe fyddwch chi'n rhannu swyddfa gyda Moelwyn, dywedodd Pyrs yn betrusgar gan ddisgwyl i Defarge wrthod.

— Digon teg, dywedodd Defarge yn oeraidd.

— Rwy'n cymryd yn ganiataol y bydd y llythyr yn cyrraedd ar y dyddiad y cytunon ni, holodd Vincent Pyrs yn betrusgar.

— Cywir. Bydd y llythyr yn cyrraedd yn barod i'r wasg ei weld, ddiwrnod cyn i'r arddangosfa agor, atebodd Defarge.

— Gwych! ebychodd Pyrs.

— Un peth arall. Mae angen i chi ffonio fy meistr, Michelle Giresse cyn gynted â phosib.

— Ond pam? gofynnodd Vincent gan droi'n welw.

-10-

RHODDODD LLYFRGELLYDD Y Llyfrgell Genedlaethol y ffôn yn ôl i lawr.

— Mae'n flin gen i, Vincent, ond mae'r Ffrancod yn pallu symud modfedd, dywedodd Alan White.

— Ond cytunon ni chwe mis yn ôl mai nhw fyddai'n talu am insiwrio'r llythyr tra'i fod yn y Llyfrgell, cwynodd Vincent.

— Wel maen nhw wedi penderfynu ymddwyn yn lletchwith ac wedi pallu talu, dywedodd Alan White gan wgu.

Bu tawelwch rhwng y ddau am rai eiliadau cyn i Alan White holi,

— Faint fydd e'n ei gostio i insiwrio'r llythyr, Vincent?

— Deng mil o bunnoedd.

— Am dri mis! Blydi hel, Vincent! gwaeddodd Alan White cyn tawelu. — Does dim ots. Fe dalwn ni'r arian o dy gyllid i'r arddangosfa, ychwanegodd gan wenu.

Pesychodd Vincent Pyrs gan symud yn anesmwyth yn ei gadair.

— Wel, mae'r cyllid wedi cael ei wario'n barod, Alan.

— I gyd? Sut yn y byd rwyt ti wedi gwario'r arian, ddyn?

— Costiodd y modelau mawr o Siapan grocbris ac wrth gwrs fe wnes i archebu modelau bychan o Owain Glyndŵr.

— Modelau bychan! Dwi ddim yn cofio i ti sôn am archebu modelau bychain.

— Wel, cefais gynnig arbennig gan gwmni o Siapan, Alan, pum mil o bunnoedd yr un am y pedwar model mawr a dim ond pymtheng mil am bum mil o'r modelau bychain.

— Pum mil?

— Ie, ry'n ni'n mynd i'w gwerthu nhw i'r cyhoedd am ddeg punt yr un. Os gwerthwn ni'r cwbwl fe wnewn ni elw o dri deg pum mil o bunnoedd, Alan.

— Ydy'r modelau wedi cyrraedd eto?

— Mae'r modelau mawr o Glyndŵr, Henry Percy, Harri'r Pedwerydd a Charles V i fod i gyrraedd yr wythnos nesa ond mae'r modelau bychain wedi cyrraedd yn barod, ymfalchïodd Vincent gan dynnu rhywbeth o'i boced a'i estyn i Alan White.

— Beth yn y byd yw hwn? gofynnodd hwnnw gan edrych yn syn ar fodel o hen ddyn gyda gwallt a barf ddu yn chwifio darn o bren ac yn gwisgo mantell hir.

— Vincent, mae hwn yn edrych yn syndod o debyg i... beth yw ei enw e? Gandalf. A dweud y gwir yr unig wahaniaeth yw bod ei wallt a'i farf yn ddu yn hytrach nag yn wyn.

— Rwy'n cytuno 'i fod e'n edrych fel yr actor Syr Ian McKellen yn y ffilmiau *Lord Of The Rings*, ond gwasgwch y botwm sydd ar waelod y model, awgrymodd Vincent. Roedd ef a'i wraig wedi treulio'r penwythnos cynt yn paentio'n ddu gwallt a barf gwyn dau gant o fodelau o Gandalf.

Gwasgodd Alan White y botwm, dim ond i glywed acen Siapaniaidd yn gweiddi, Red tit!

— Red tit? beth yn y byd yw 'Red tit', Vincent ?

— Rhyddid, syr, ond mae'r Siapaniaid yn cael problem ynganu'r llythyren 'dd'. Gwasgwch y botwm unwaith eto, syr.

Ufuddhaodd Alan White.

— You cad. View Wine Clit tour. Twat Sog Comely.

— Beth yn y byd?—

— I'r Gad. Fi yw Owain Glyndŵr. Tywysog Cymru, syr.

— Ac rwyt ti'n gobeithio gwerthu'r rhain, wyt ti?

— Ydw, Alan, atebodd Vincent gan dderbyn y model yn ôl oddi wrth y Llyfrgellydd.

— Pob lwc i ti. Ta beth, alla i ddim rhoi rhagor o gyllid i ti i dalu'r insiwrans, Vincent.

— Ond beth ry'n ni'n mynd i'w wneud?

— Beth ry'n ni wastad yn ei wneud yn y Llyfrgell Genedlaethol, Vincent. Dim byd.

— Ond...

— Galla i ofyn i'r Cynulliad ryddhau'r arian... ond yn y cyfamser gwell i ti addo un peth i mi.

— Beth, Alan?

— Paid â gadael i neb ddwyn y blydi llythyr 'na.

— Peidiwch â phoeni, Alan. Fyddai Owain Glyndŵr ei hun ddim yn gallu dwyn y llythyr.

Rhan 2

-1-

— FELLY, OWAIN Glyndŵr ei hun fydd yn dwyn y llythyr o'r Llyfrgell, dywedodd Gwen wrth Llew, Gruff a John Lazarus a hwythau'n eistedd o gwmpas ford y gegin yn nhŷ Llew mewn syndod. Hwn oedd y cyfarfod allweddol i benderfynu sut y byddai'r pedwar yn dwyn Llythyr Pennal o dan drwynau'r awdurdodau.

Roedd Llew, Gwen a Gruff wrthi'n bwyta brecwast pan gyrhaeddodd John Lazarus toc wedi naw o'r gloch y bore. Cafodd pawb sioc wrth weld y trawsnewidiad ynddo. Camodd i mewn yn bwrpasol gyda ffeil anferth o dan ei fraich. Gwisgai siwt daclus a thei ac roedd ei wallt wedi ei gribo'n ôl yn drwsiadus. Wedi iddo gyfarfod â'r triawd yr wythnos cynt, gweithiodd John Lazarus yn galed yn casglu gwybodaeth am system ddiogelwch y Llyfrgell a dechreuodd esbonio'r posibiliadau i'r gweddill ynghylch dwyn y llythyr.

Gwrandawodd y tri'n astud wrth i Lazarus ddechrau traethu am hanes y Llyfrgell, ac am agoriad swyddogol yr adeilad gan ei Mawrhydi y Brenin Siôr VI a'r Frenhines Elisabeth ar 15 Gorffennaf 1937. Chwarter awr yn ddiweddarach roedd Lazarus yn dal wrthi'n sôn am yr agoriad swyddogol.

Pesychodd Llew a gofyn yn gwrtais, — Mae'r hanes yn ddiddorol iawn, John ond a fedri di ddechrau sôn am system ddiogelwch y Llyfrgell?

— O! dywedodd gan edrych ar y ffeil o'i flaen. Felly, 'dych chi ddim eisiau gwybod yr hanes am yr adeg pan fu'r Crown Jewels yn y Llyfrgell yn ystod yr Ail Ryfel Byd?

— Na 'dyn, atebodd Llew. Rhoddodd Lazarus ugain tudalen o'r ffeil ar y llawr wrth ei ochr.

— 'Ych chi eisiau gwybod am gasgliad lluniau Geoff Charles? ychwanegodd gan edrych yn eiddgar ar y tri.

— Na 'dyn, atebodd Gruff. Gosododd ddeugain tudalen arall

o'i ffeil ar ben y nodiadau ar lawr.

— Llyfr Du Caerfyrddin?

— Na, Na, Na, gwaeddodd Llew gan godi ar ei draed. Yr unig beth ry'n ni'n moyn clywed amdano yw gwybodaeth am sut ry'n ni'n mynd i ddwyn y llythyr.

— Does dim angen ichi weiddi, atebodd Lazarus yn ddolurus. Cododd ddarn o bapur oedd ar ôl yn y ffeil a phesychodd. Reit, te, dyma'r nodiadau ar system ddiogelwch Llyfrgell Genedlaethol Cymru. Camerâu CCTV ymhobman, dynion yn gwarchod drysau pob mynedfa i'r ystafell arddangos. Bydd y llythyr wedi ei gloi mewn un o'r pum sêff dros nos ac mewn cas arddangos ag iddo larwm yn ystod y dydd. Rhaid dod i'r casgliad y bydd dwyn y llythyr yn ddigon heriol.

— Digon heriol! Digon heriol, ai dyna'r cwbl sy 'da ti i ddweud? gofynnodd Llew.

— Ie. Dyna fy marn broffesiynol i am y sefyllfa. Tricky iawn a dweud y gwir, atebodd Lazarus, yn amlwg wedi pwdu bellach.

— Oes unrhyw beth arall 'da ti i'w ychwanegu? gofynnodd Gruff.

— Na... sa i'n credu.

— Beth am y posibilrwydd o dorri i mewn i'r Llyfrgell yn ystod y nos? gofynnodd Llew.

— Beth fyddai'r pwynt? Rwy'n gwybod am union leoliad y pum sêff ond mae'r camerâu diogelwch yn eu gwylio drwy'r amser. Pe byddech chi'n ddigon lwcus i ddewis y sêff sy'n cynnwys y llythyr byddai'n rhaid ichi ddiffodd y system larwm cyn chwythu'r sêff ar agor. Na, amhosib. Fi sefydlodd y system honno ac mae'n anffaeledig rwy'n falch o ddweud... sori, rwy'n anhapus i ddweud wrthoch chi.

— Ond dyw hyn ddim yn ein helpu ni o gwbl, dywedodd Gruff gyda'i ben bellach yn ei ddwylo.

— Ocê, John. Beth yw'r ffordd orau, yn eich barn broffesiynol chi, o ddwyn y llythyr? gofynnodd Llew.

— Syml. Aros tan fod yr arddangosfa ar agor i'r cyhoedd. Wedyn byrstio drwy ddrws y brif fynedfa, rhedeg i fyny'r grisiau i'r ystafell arddangos… torri gwydr y cas, pocedu'r llythyr a gadael drwy'r drws cefn. Wrth gwrs byddai pawb yn cario Ouzi neu AK-47. Tra byddech chi'n dwyn y llythyr fe fyddwn i'n dod o hyd i Vincent Pyrs a Moelwyn Drake, dywedodd Lazarus a'i lygaid yn pefrio. Cododd ar ei draed a phwyntio dryll dychmygol at y tri.

— Yna byddwn i'n dweud… cofio fi, Pyrs… Bang. Bang. Bang… Cofio fi, Drake… Bang. Bang. Bang. Wrth gwrs se'n i'n gallu dwyn y llythyr tra bod Ysgol Gynradd Llanilar yn ymweld â'r arddangosfa a byddai hynny 'y ngalluogi fi i gael gwared ar gwpwl o'r diawled sydd wedi bod yn taflu cerrig at ffenestri 'nhŷ i… Helô, Gwydion Jones cofio fi… Bang. Bang. Bang… Helô, Denzil Richards… cofio fi… Bang. Bang. Bang, gorffennodd Lazarus gan roi ei ddryll dychmygol gadw ac eistedd i lawr.

— Mi weithiodd e i fi a Major Marjoribanks-Spiggott yn Barimbi Cove yn y Seychelles yn 1979. Ta beth. Beth 'ych chi'n feddwl o'r cynllun? gofynnodd Lazarus yn eiddgar gan edrych o'r naill i'r llall. Syllodd y tri'n syn ar Lazarus am rai eiliadau.

— Diolch am eich mewnbwn adeiladol, John, dechreuodd Gwen, ond, rwy'n credu y byddai eich cynllun diddorol yn mynd yn groes i'n hegwyddorion o ddefnyddio dulliau di-drais.

— Beth am ddefnyddio batiau pêl-fas yn lle drylliau? awgrymodd Lazarus.

— Na. Rwy'n credu bod gen i gynllun wnaiff lwyddo a hynny heb niweidio neb, dywedodd Gwen gan anwybyddu gosodiad olaf Lazarus.

Dechreuodd Gwen esbonio ei chynllun o sut i ddwyn y llythyr yn ystod diwrnod y wasg, y diwrnod cyn agoriad swyddogol yr arddangosfa.

— Mi fyddwn ni'n ymddwyn fel petaen ni'n griw teledu o Ffrainc yn paratoi pecyn ar gyfer rhaglen ddogfen ar hanes Cymru a Ffrainc, esboniodd Gwen. Amlinellodd ran pawb yn y cynllun cyn gwneud y datganiad syfrdanol: Ac felly Owain Glyndŵr fydd yn dwyn y llythyr o'r Llyfrgell.

— Pwy fydd yn chwarae rhan Glyndŵr? gofynnodd Llew gan gnoi ei bumed darn o dost a mêl y bore hwnnw yn sgil ei benderfyniad i roi'r gorau i smygu.

— Ti, dywedodd Gwen.

— Pam y dyle fe chwarae rhan Glyndŵr? gofynnodd Gruff yn swrth. Dyw hyn ddim yn ddemocrataidd. Dylen ni bleidleisio, a ta beth rwy i'n llawer mwy urddasol nag e.

— Ac rwy i llawer yn dalach... ac mae gen i brofiad o reoli carfan o bobl, fel Glyndŵr, meddai Lazarus.

— Ond mae gan Llew farf! dywedodd Gwen yn siarp.

— Mae gan Rolf Harris farf ond fyddet ti ddim yn gofyn iddo fe chwarae rhan Glyndŵr, cwynoddd Gruff cyn codi o'i sedd a dechrau camu o gwmpas yr ystafell. Doedd e ddim wedi cael sigarét ers dau ddiwrnod ac roedd pawb wedi dechrau mynd ar ei nerfau.

— Dwi ddim yn cofio clywed bod Owain Glyndŵr yn gorrach a hwnnw'n dechrau moeli, dywedodd Llew'n bigog. Roedd e hefyd yn ysu am sigarét.

— Fechgyn, fechgyn, does dim angen dadle am y peth. Rwy'n siŵr y gallwn ni gyfaddawdu... dechreuodd Lazarus yn hunanfoddhaus gan wenu ar Gwen.

— Cau dy geg, Lazarus y crinc. Rwy'n gallu arogli mwg tybaco ar dy anadl, atebodd Gruff.

— Beth? chwyrnodd Llew gan glosio at Lazarus.

— Mae Gruff yn iawn, Gwen. Y brych!

— Dim ond un cheroot bach bore 'ma.

— Mae hyn mor annheg, Gwen, ymyrrodd Gruff gan droi at Gwen.

— Ydy pawb wedi gorffen? Reit. Fe wna i esbonio'r cynllun yn gyflawn unwaith 'to. Gan ddechrau o'r dechrau. Cwmni teledu o Ffrainc 'yn ni'n ffilmio darn am yr arddangosfa. Bydd yn rhaid i Lazarus fod yn y dre tra byddwn ni'n dwyn y llythyr. Pam, John?

— Oherwydd byddai gormod o bobl yn adnabod 'yn wyneb i yn y llyfrgell... ac er mwyn sicrhau bod gan bawb alibi, atebodd Lazarus yn ddistaw.

— Da iawn. Ac fe fyddi di Gruff yn defnyddio'r camera. Pam?

— Gan 'mod i'n siarad Ffrangeg yn rhugl. Mae'n gwneud sens i fi fod yn ddyn camera o Ffrainc tra bydd Gwen, sydd hefyd yn rhugl yn Ffrangeg, yn chwarae rhan y cyfarwyddwr.

— Da iawn, Gruff. Reit. Ry'n ni angen un camera, un seinleolwr, gwisgoedd, colur a phaent, platiau ffals, car, peiriant CD, a gwybodaeth am yr ystafell arddangos yn ogystal â sefydlu alibi ar gyfer pawb, dywedodd Gwen yn awdurdodol. Ond cyn i ni ddechrau, dyma rywbeth i dawelu eich nerfau, meddai gan daflu pecynnau o glytiau nicotin, gwm cnoi nicotin a *puffers* ar y ford.

— Dwi ddim eisiau i chi smygu tra byddwch chi'n gweithio gyda fi. Ac mae hynny'n dy gynnwys di, John. Felly dewiswch y dull fydd yn eich siwtio chi orau cyn i ni ddechrau gweithio.

–2–

CERDDODD GRUFF YN gyflym heibio i gerflun o'r Ymerodres Buddug yng Ngerddi Picadilly ym Manceinion. Trodd i'r chwith a cherdded ar hyd Stryd Portland am gan llath cyn troi i'r chwith eto i gyrraedd Stryd y Canal. Ers canol yr 1980au bu Canal Street yn enwog am fod yn rhan ganolog o'r 'Gay Village', sy'n cynnwys dros ddeugain o fariau, tafarndai a bwytai ar gyfer hoywon a lesbiaid Manceinion

Camodd Gruff ar hyd y stryd fechan ger y gamlas cyn aros wrth arwydd y bar Manto. Cerddodd i mewn i'r dafarn dywyll a chau ei lygaid wrth geisio cyfarwyddo â'r diffyg golau. Gwelodd ddyn canol oed tua'r un taldra ag ef, yn eistedd ar ei ben ei hun yng nghornel pellaf y dafarn. Lionel.

— Helô, Lionel, cyfarchodd Gruff wrth eistedd gyferbyn ag ef. Gwisgai sbectol ddu a darllenai'r *Guardian*. Noson fawr? gofynnodd Gruff yn Saesneg gan dynnu pecyn o sigaréts o'i boced a chynnau un. Er iddo addo i Gwen y byddai'n rhoi'r gorau i smygu roedd Gruff wedi bachu ar y cyfle i smygu cymaint ag y gallai yn ystod ei ymweliad â Manceinion am ddeuddydd.

— Nage, Adrian, atebodd gan dynnu ei sbectol a dangos dwy lygad goch.

— Dwi ddim wedi stopio llefain 'to, ychwanegodd Lionel cyn cymryd llwnc o goffi du o'r cwpan o'i flaen.

— Blydi hel, Lionel. Beth sydd wedi digwydd nawr 'to? gofynnodd Gruff.

— Fe wnaeth e... sylwadau cas ynglŷn â phâr o drowsus combat brynais i yn Clone Zone yr wythnos ddiwethaf. Dywedodd e 'mod i'n edrych fel nafi, esboniodd.

— A?

— Ac ry'n ni wedi gwahanu, meddai Lionel cyn chwythu ei drwyn yn ei hances boced felfed.

Tynnodd Gruff ar ei sigarét a gwenu. Roedd Lionel ac Adrian wedi gwahanu ddegau o weithiau ers i Gruff eu cyfarfod, ddeng mlynedd yn ôl. Bryd hynny, roedd Lionel ac Adrian wedi ymddangos o flaen eu gwell am ymddygiad anweddus mewn toiledau cyhoeddus yng nghanol Manceinion. Pan ymddangoson nhw yn y llys, nododd Gruff swyddi'r ddau gan feddwl y gallen nhw fod yn ddefnyddiol iawn i'r bobl amheus hynny y byddai e'n gwneud adroddiadau misol iddynt.

Gweithiai Lionel yn y cyfryngau, yn bennaf fel dirprwy gyfarwyddwr, ond oherwydd y gystadleuaeth frwd yn y byd hwnnw byddai heb waith am gyfnodau hir. Felly bachodd Lionel ar y cyfle i weithio i un o gysylltiadau Gruff drwy osod offer camera a sain ar gyfer ambell i achos o flacmêl, yn ogystal â chyfarwyddo ambell ffilm bornograffig. Erbyn hyn, roedd Lionel wedi sefydlu cwmni ar ei liwt ei hun.

— Beth wyt ti'n moyn y tro 'ma, te? gofynnodd Lionel gan gymryd dracht arall o goffi.

— Rwy i angen camera ffilm sydd ddim yn rhy drwm, tapiau gwag a seinleolwr, atebodd Gruff yn dawel.

— Mmm. Wnaiff Steady Cam y tro. Erbyn pryd rwyt ti moyn e? gofynnodd gan edrych dros ei sbectol.

— Pump o'r gloch prynhawn yfory!

— Sa i'n siŵr a fydd hynny'n bosib. Rwy'n brysur iawn...

— Dere 'mlân, Lionel. Paid â dechrau malu cachu. Dwyt ti ddim yn blydi Steven Spielberg. Gyrhaeddest ti frig dy yrfa pan gyfarwyddest ti ddwy bennod o Jossie's Giants yn 1988...

— Tair pennod, diolch yn fawr... heb sôn am gyfres gynta *Chucklevision* gyda Paul a Barry Chuckle. Fi oedd yn gyfrifol 'fyd am drydedd uned *Hetty Wainthroppe Investigates*...

Cododd Gruff o'i sedd cyn i Lionel ddechrau traethu'n ddiddiwedd am ei yrfa.

— Pump o'r gloch nos yfory. Iawn?

— Dy'n ni ddim wedi trafod y gost, gwaeddodd Lionel wrth i Gruff godi i adael.

— Gawn ni drafod hynny pan ddoi di â'r camera, y tapiau a'r seinleolwr, dywedodd Gruff cyn gadael bar Manto a dechrau camu tuag at Oxford Road.

-3-

EISTEDDAI JOHN LAZARUS yn ei gar mewn cilfach barcio ar gyrion tref Aberystwyth. Edrychodd ar ei wats. Un ar ddeg o'r gloch. Taniodd y car, dechreuodd ei stop watsh cyn gyrru i mewn i'r dre a pharcio ei gar ym maes parcio archfarchnad Somerfield. Cerddodd at dafarn yr Hen Lew Du a sefyll y tu allan am ddwy funud. Wedyn cerddodd i fyny'r stryd, troi i'r dde a cherdded at siop Woolworths. Yno, prynodd gwerth punt o Pick-N-Mix. Gadawodd y siop, trodd i'r chwith, cerdded y ddau gan llath at bromenâd y dref ac aros o flaen gwesty'r Belle Vue. Stopiodd y stop watsh. Ugain munud wedi un ar ddeg. Gwenodd John Lazarus. Byddai hynny'n hen ddigon o amser i greu alibi iddo ef, Gwen a Llew.

-4-

— CELWYDD NOETH, Gruff. Wnes i ddim ond sôn am drowsus Lionel oherwydd iddo fod yn gymaint o ddiawl ynglŷn â fy het newydd i, esboniodd Adrian wrth Gruff yn Saesneg yng nghantîn y BBC yn Oxford Road.

Roedd Adrian yn gweithio yn adran goluro'r BBC ym Manceinion.

— Rwy i angen brêc. Ro'n i'n gwneud wyneb Dale Winton bore 'ma ar gyfer rhyw raglen neu'i gilydd. Drewi... paid â sôn... roedd e'n methu stopio rhechen. Duw a ŵyr beth oedd lan ei din e!

Ers i Adrian weithio yn adran goluro'r BBC byddai ef hefyd yn gwneud ambell i gymwynas i gysylltiadau Gruff. Câi ei dalu'n dda am ymbincio a newid pryd a gwedd rhai pobl amheus fyddai'n gorfod dianc o'r wlad am gyfnodau.

Edrychodd Gruff ar Adrian. Roedd wedi gwisgo'n

drwsiadus iawn mewn sgert hir frown, top gwyn a siaced felfed. Er mai dyn oedd e a hoffai wisgo dillad menywod, byddai'n dewis dillad da iawn i'w gwisgo, meddyliodd Gruff. Gwenodd Gruff wrth iddo sylweddoli bod Adrian yn edrych yn syndod o debyg i Gwen gan ei fod yn gwisgo wig ddu hir, heblaw am yr het alpaidd ysblennydd ar ei ben.

Sylwodd Adrian fod Gruff yn astudio'i ddillad.

— Sgert, £130 o Red or Dead. Top £65 o Monsoon, y got, £150 o Kensington Freak, a'r het ddadleuol, £80 o Heidi, esboniodd.

— Oes unrhyw obaith i chi'ch dau? gofynnodd Gruff.

— Dim. Dyna ni. Byth eto. Mae e wedi 'mrifo i unwaith yn ormod...

— Roedd e wedi bod yn llefain pan weles i fe.

— Pryd welest ti fe? holodd Adrian.

— Bore 'ma.

— O! Oedd 'i lyged e'n ofnadwy o goch?

— Oedden. A cyn i ti ofyn doedd e ddim yn gwisgo masgara felly doedd e ddim yn edrych yn rhy wael. Ta beth, rwy i angen i ti gael ychydig o bethe i fi.

Cydiodd Adrian mewn pensil yn barod i ddechrau ysgrifennu.

— Rwy i angen dwy wisg y byddai rhywun wedi'u gwisgo yn yr Oesoedd Canol... tua dechrau'r bedwaredd ganrif ar ddeg. Dyma'r mesuriade. Rwy i hefyd angen colur a phaent i newid pryd a gwedd tri pherson, esboniodd Gruff yn dawel.

— Wyt ti moyn i fi wneud y gwaith coluro?

— Na'dw. Rwy i angen i ti wneud yn gwmws beth wnest ti y tro diwetha. Ysgrifenna'r cyfarwyddiade i mi ar bapur ac mi wna i'r gweddill.

— Pa fath o wyneb wyt ti 'i angen? Mwstás a gwallt oren fel y paratoies i ar gyfer y parti gwisg ffansi 'na chwe mis yn ôl?

— Nage. Rwy i angen delwedd wahanol ar 'y nghyfer i, hefyd

i fenyw yn ei thri dege ac i ddyn yn ei bedwar dege. Dyma lunie ohono i, ohono fe ac ohoni hi.

— Iawn, atebodd Adrian gan roi'r lluniau yn ei fag llaw.

— Rwyt ti'n lwcus o ran y gwisgoedd. Mae'r BBC yn gwneud rhaglen am frwydr Agincourt. Galla i fenthyg cwpwl o'r gwisgoedd i ti.

— Gwych. Dere draw i 'nhŷ i erbyn chwech o'r gloch nos yfory ac fe wnawn ni drafod pob dim.

— Iawn... a Gruff... cofia fi at Lionel, bloeddiodd Adrian.

— Mi wna i, atebodd yntau wrth gamu o'r cantîn.

-5-

— HELÔ. RWY i eisiau i chi ddod â chwpanaid o goffi a brechdan ham i fyny i ystafell dau ddeg pump, os gwelwch yn dda, dywedodd Gwen yn araf ac yn glir. Gwasgodd Llew fotwm ar y llosgwr CD.

— Da iawn, Gwen, dywedodd Llew gan edrych ar ddarn o bapur o'i flaen. — Dyna'r cyfan rwy'n credu, meddai gan godi o ford y gegin a chamu at y sinc i roi dŵr yn y tegell. — Te 'te coffi, holodd Llew gan droi i wynebu Gwen, a eisteddai wrth ford y gegin.

— Te; Llew wyt ti'n credu y gwnaiff hyn weithio? gofynnodd Gwen.

— Beth all fynd o'i le? Rwy i wedi dy fwcio ti i mewn i ystafell 25 yng ngwesty'r Belle Vue am ddwy noson ac rwy i wedi bwcio John i mewn i ystafell 35 am dair noson. Pan fyddi di'n dwyn y llythyr yn y Llyfrgell Genedlaethol bydd allwedd dy ystafell gan John. Fe wnaiff e fynd i dy ystafell am ugain munud wedi un ar ddeg a gwasgu trac 10 ar y peiriant CD, fel hyn, dywedodd Llew gan gamu at y peiriant CD a gwasgu trac 10. Clywodd Gwen ei hun yn dweud: Helô. Rwy i eisiau i chi ddod â chwpanaid o goffi a brechdan ham i fyny i ystafell dau ddeg pump, os gwelwch yn dda.

Gwasgodd Llew fotwm y peiriant CD a'i ddiffodd.

—A phan ddaw'r person â'r frechdan bydd John yn yr ystafell ymolchi ac wedi rhoi'r gawod ymlaen. Ac os dywedith pwy bynnag sy'n dod â'r frechdan rywbeth, rwyt ti wedi recordio dros ddwsin o frawddege yn y Gymraeg a'r Saesneg i gael gwared arnyn nhw. Bydd hyn yn ddigon i fodloni unrhyw un dy fod ti wedi bod yn dy ystafell rhwng ugain munud wedi un ar ddeg a hanner dydd, sef yr amser y byddi di'n dwyn Llythyr Pennal! gorffennodd Llew gan gamu at y tegell i wneud cwpanaid o de iddo fe a Gwen.

— Alla i ofyn cwestiwn personol? gofynnodd Llew pan ddychwelodd at y bwrdd gyda'r te.

—Nag o'n, do'n i ddim yn dy garu yw'r ateb, dywedodd Gwen gan wylio Llew'n dymchwel ei de ar draws y bwrdd.

— Rwy'n cymryd yn ganiataol mai dyna oedd y cwestiwn, meddai Gwen wrth i Llew droi i mofyn cadach llestri i sychu'r bwrdd.

— Wel… ie… atebodd Llew'n ddistaw gan sychu'r bwrdd heb edrych arni.

— Gwranda, Llew. Roedd hi'n gyffrous gweithredu gyda ti. Ro'n i'n hoffi ti'n fawr iawn, ac roeddet ti'n garwr tyner iawn, ond, wrth edrych yn ôl, na, do'n i ddim yn dy garu. Ond roeddet ti'n 'y ngharu i, on'd oeddet ti?

— Paid â bod yn dwp, atebodd Llew gan droi ei gefn at Gwen.

—Pam y gwnest ti gytuno i fy helpu i nawr, te?

Trodd Llew i'w hwynebu. Syllodd arni am dair eiliad.

—Rwy'n mynd i dorri coed, sibrydodd gan gau drws y gegin ar ei ôl. Pwysodd Gwen yn ôl yn ei chadair a dechrau yfed ei the.

-6-

GYRRODD GRUFF ei gar drwy gatiau iard sgrap Malcolm Summerbee ar gyrion ardal Romiley o Fanceinion. Wrth iddo yrru i mewn i'r iard gwelodd Gruff gannoedd o hen geir wedi eu gosod ar ben ei gilydd yn bendramwnwgl. Parciodd ei gar wrth gaban symudol. Cerddodd at y caban, cnocio a cherdded i mewn heb aros am ateb.

Y tu ôl i ddesg eisteddai Malcolm Summerbee, dyn cydnerth yn ei ddeugeiniau hwyr gyda gwallt du, byr, oedd yn gwynnu.

— Eistedda i lawr, Grifter, dywedodd yn Saesneg heb godi ei ben o'r ffeil ar ei ddesg. Yna cododd Summerbee ei ben.

— Gwaith da fel arfer, Grifter. Adroddiad diddorol arall. Efallai y bydd un neu ddau o'r bobl hyn yn ddefnyddiol i mi, dywedodd cyn eistedd yn ôl yn ei gadair ledr. Pa ffafr wyt ti'n moyn y tro hwn? gofynnodd gan wenu'n gam.

— Rwy i angen car a dau bâr o blatiau ffals.

— Ydw i'n debygol o gael y car yn ôl?

— Wyt. Curodd Summerbee ei fysedd yn ysgafn ar ei ddesg am rai eiliadau cyn cytuno. — Galla i gael rhywun i 'fenthyg' car, rhoi re-spray iddo fe, a rhoi platiau ffals arno fe. Mae'n dibynnu pa mor fuan wyt ti 'i angen e.

— Fory. Ac rwy i'n moyn rhywun sy'n edrych yn debyg i fi i yrru 'nghar i o Fanceinion i Aberystwyth ar y pumed o Fawrth. Bydd yn rhaid iddyn nhw ddechrau tua hanner awr wedi naw'r bore ar ôl defnyddio 'ngherdyn credyd i brynu nwyddau yn yr archfarchnad rwy'n siopa ynddi yn Marple. Wedyn bydd yn rhaid iddyn nhw brynu petrol yn yr orsaf betrol ar y draffordd ger Caer. Rwy i angen iddyn nhw gwrdd â fi yn nhŷ ffrind erbyn hanner awr wedi hanner dydd cyn gyrru'r car y byddwn ni'n ei ddefnyddio ar gyfer y lladrad, yn ôl i Fanceinion.

— *Piece of piss*, dywedodd Sumerbee gan wenu eto.

— Dyma got a het *bobble* iddo fe. Mae 'da fi got a het *bobble* sydd yr un ffunud, dywedodd Gruff gan wthio'i ddwylo'n ddwfn i bocedi'i got.

— Mmmm. Felly rwyt ti angen alibi a chael dy ddal ar gamerâu CCTV yr archfarchnad yn Marple a'r orsaf betrol yng Nghaer, awgrymodd Summerbee.

— Cywir.

— Dyw e ddim yn broblem. Ond beth bynnag wnei di paid â chael dy ddal... rwyt ti'n ddefnyddiol iawn i mi, meddai Summerbee a chododd o'i ddesg i siglo llaw gyda Gruff.

— Am faint fyddi di bant o Fanceinion? gofynnodd Summerbee wrth i Gruff adael y caban.

— Os aiff popeth fel y dylen nhw... rhyw bythefnos ar y mwya. Os na wnân nhw... o leiaf pymtheng mlynedd. Dyma allweddi 'nghar i. Fe wna i gasglu'r car arall yfory, dywedodd Gruff cyn gadael a cherdded at yr arhosfan bws agosaf.

-7-

CAMODD JOHN LAZARUS i mewn i dafarn yr Hen Lew Du. Roedd y prif farmon yn eistedd ar ei ben ei hun y tu ôl i'r bar. Roedd tua hanner dwsin o bobl yn ciniawa fan hyn a fan draw yn y dafarn. Wrth i Lazarus yfed ei beint cyntaf dechreuodd siarad â'r barmon – dyn tal, tenau yn ei dri degau hwyr gyda'i wallt hir wedi ei glymu mewn cynffon merlen. Darganfu ei fod yn gweithio yno bob bore rhwng un ar ddeg a thri o'r gloch.

Gofynnodd Lazarus am beint arall.

— Dwy bunt a chweugen, os gwelwch yn dda, gofynnodd y barmon.

— Blydi hel. Prisiau'r Ritz heb y dodrefn, atebodd Lazarus.

Gwgodd y barmon a chodi un o'i aeliau.

— Does dim angen bod yn sarcastig.

— Twll dy din di, Ffaro, meddai Lazarus.

— Allech chi beidio â rhegi, os gwelwch yn dda. Mae teuluoedd yn bwyta yma, gofynnodd y barmon.

— Ffwcio di, gwaeddodd Lazarus.

— Reit. Un rheg arall a bydd yn rhaid i fi dy daflu di allan.

— Hoffwn i dy weld ti'n trial, y cnych, gwaeddodd yn uwch.

Deg eiliad yn ddiweddarach disgynnodd John Lazarus ar ei din ar y pafin y tu allan i'r dafarn.

— A paid â dod yn ôl, gwaeddodd y barmon.

Gwenodd Lazarus wrth iddo gerdded ar draws yr heol at y Nags Head. Roedd gan John deimlad y byddai'n cael ei wahardd o'r dafarn hon hefyd.

Erbyn pedwar o'r gloch roedd John wedi llwyddo i gael ei wahardd o'r Hen Lew Du, y Nags Head, y Ship and Castle, yr Angel, a'r Academi. Roedd e wedi dilyn cyfarwyddiadau Llew a Gwen i'r gair ac wedi yfed chwe pheint o gwrw. Tynnodd sigâr o'i boced a'i chynnau. Roedd e'n haeddu hon, meddyliodd wrth gerdded i ddal bws yn ôl i'w gartre yn Llanilar.

–8–

CODODD GRUFF EI gar newydd – Vauxhall Vectra lliw arian – o iard sgrap Malcolm Summerbee am bedwar o'r gloch.

Cyrhaeddodd Lionel dŷ Gruff am bump o'r gloch gyda'r camera, y tapiau fideo a'r seinleolwr. Gwrandawodd yn astud arno'n esbonio crefft y dyn camera am awr. Roedd Lionel wedi dechrau brolio am ei waith *close-up* gyda'r Chucklebrothers pan glywodd Gruff gloch y drws ffrynt yn canu.

Agorodd y drws i weld Adrian yn sefyll yno. Sylwodd ei fod e'n dal i wisgo'r het alpaidd.

— Gad fi i mewn. Dim blydi Jehovah ydw i, sgyrnygodd Adrian gan gamu heibio Gruff. Roedd e'n cario pedwar cês wedi eu llenwi â dillad a deunydd coluro.

— Rho'r tegell ymlaen, cariad. Mae 'ngheg i cyn syched â chotsen lleian, gwaeddodd Adrian cyn iddo sylweddoli bod Lionel yn sefyll yno o'i flaen yn yr ystafell fyw.

— Helô, Lionel. Beth wyt ti'n neud 'ma? gofynnodd Adrian gan grychu ei drwyn wrth sylwi ei fod yn gwisgo ei drowsus combat.

— Helô, Adrian. Ditto, meddai Lionel gan rolio ei lygaid wrth sylwi ar yr het alpaidd ar ei ben.

— Cyd-ddigwyddiad llwyr. Af i i roi'r tegell ymlaen, meddai Gruff gan gamu i mewn i'r gegin.

Wrth iddo baratoi'r te clywai Gruff y ddau'n dadlau'n frwd am y trowsus combat a'r het alpaidd. Penderfynodd Gruff roi taw ar y dadlau. Camodd yn ôl i'r ystafell fyw.

— Reit, Lionel. Tynn dy drowsus a gwisga'r rhain, meddai Gruff gan dynnu ei drowsus a'u taflu at Lionel.

— Ooh, cheeky, meddai hwnnw cyn ufuddhau i'w orchymyn.

— Adrian! Dere â'r het 'na i fi, gwaeddodd Gruff gan wisgo het alpaidd Adrian ar ei ben.

— OOOh, lyfli, meddai Lionel.

— Mmm. Mae'r het yn dy siwtio di i'r dim, meddai Adrian.

— Spot on, cariad, meddai Lionel gan edrych yn dyner ar Adrian.

— Yn gyntaf, cusanwch eich gilydd ac wedyn bydd yn rhaid i ti, Adrian, greu poced gudd yn un o'r gwisgoedd, meddai Gruff.

−9−

EISTEDDAI LLEW WRTH ford y gegin. Roedd e'n gwisgo sanau, tiwnig, menig a mantell hir yn debyg i'r dillad a wisgai pobl ar ddechrau'r bedwaredd ganrif ar ddeg. Safai Gruff wrth ei ymyl yn dal camera.

Rhoddodd Llew ei ddwy law ar ford y gegin. Nodiodd ei ben a chamodd John Lazarus ato cyn rhoi copi o lythyr Pennal o'i flaen. Camodd Gruff yn agosach at Llew. Yn y cyfamser ceisiodd Llew godi'r llythyr a'i osod yn ei boced gudd y tu fewn i lawes chwith y fantell. Wrth iddo wneud hynny, cwympodd y llythyr ar y llawr. Rhegodd Llew'n uchel cyn codi'r llythyr.

— Y blydi menig 'ma yw'r broblem. Rwy i'n methu cael gafael ar y llythyr cyn 'i drosglwyddo fe i'r boced, esboniodd Llew wrth Gruff.

— Paid â phoeni. Ymarfer, ymarfer ac ymarfer. Dyna'r unig ffordd o gael pethau'n iawn. Ta beth, rwyt ti'n poeni am Gwen 'yn dwyt ti, dywedodd Gruff.

— Ydw, cyfaddefodd Llew, a sylweddolai fod tynged y cynllun yn ei dwylo hi.

— Dewch mlân, bois. Does dim iws becso. Awn ni trwy hyn unwaith eto, dywedodd Lazarus gan wenu.

— Wedyn, awn ni mas i'r cefen am smôc, meddai gan estyn ei law i'w boced. Tynnodd becyn o sigaréts a phecyn o fintys ćryf o'i boced.

— Erbyn iddi ddod yn ôl, fydd hi ddim callach.

— Os daw hi 'nôl, meddai Llew o dan ei anadl.

-10-

EISTEDDAI CHARLOTTE MARAT gyferbyn â Vincent Pyrs yn ei swyddfa ger yr ystafell arddangos yn Llyfrgell Genedlaethol Cymru.

Roedd Charlotte, neu Gwen Vaughan, wedi ffonio Vincent y diwrnod cynt gan awgrymu y dylai'r ddau gyfarfod. Yn ôl Charlotte roedd hi'n ffilmio golygfeydd ar gyfer cyfres deledu yn olrhain y cysylltiad hanesyddol rhwng Ffrainc â'r gwledydd Celtaidd.

Wrth i'r ddau yfed te yn swyddfa Vincent Pyrs dywedodd Charlotte y byddai'r gyfres, wrth gwrs, yn defnyddio llawer o ddeunydd am Owain Glyndŵr a'i gysylltiadau â Ffrainc.

Esboniodd Charlotte ei bod hi a'i chriw ffilmio bychan yn ffilmio yng Nghymru am ddeng niwrnod. Awgrymodd y byddai'n hyfryd petai'r Llyfrgell yn caniatáu iddi ffilmio pecyn am yr arddangosfa ac, o bosib, ffilmio Llythyr Pennal ei hun.

— Wrth gwrs, wrth gwrs, cytunodd Vincent Pyrs a oedd am fachu ar y cyfle i greu PR positif yn Ffrainc i'r Llyfrgell Genedlaethol.

— Mae hwn yn gyfle euraidd i chi ddod o hyd i lawer o ddeunydd o'r lle gorau posib, sef Llyfrgell Genedlaethol Cymru, ychwanegodd Vincent yn Saesneg, sef yr unig iaith y gallai'r ddau gyfathrebu ynddi. Roedd Ffrangeg Vincent yn fregus, a dweud y lleiaf, a doedd Charlotte, wrth gwrs, ddim yn gallu siarad Cymraeg, er bod ei Saesneg yn wych, sylwodd Vincent.

— Pa ddiwrnod fyddai'n gyfleus i ni ffilmio? gofynnodd Charlotte gan agor ei dyddiadur.

— Wel, mae ein rhaglen yn weddol lawn, rwy'n ofni... ond mae gennym ni ddiwrnod ar gyfer y Wasg, y diwrnod cyn i Weinidog Diwylliant y Cynulliad agor yr arddangosfa ar y chweched o Fawrth, awgrymodd Vincent.

— Gwych. Beth fydd yn digwydd, a phwy fydd yma?

Edrychodd Vincent mewn ffeil er mwyn cael y manylion.

— Dyma ni. Newyddiadurwyr o'r BBC a HTV, criw o'n sianel Gymraeg, S4C; criw teledu o Sweden, ac un o Ffrainc... sianel pump. Ydych chi'n gyfarwydd â nhw?

— Ydw. Maen nhw braidd yn sefydliadol, dywedodd Gwen.

— O diar, bydd yn rhaid i mi gadw golwg arnyn nhw. Ta beth, ry'n ni'n gobeithio dechrau am un ar ddeg o'r gloch y bore.

— Fyddwn ni ddim angen llawer o amser i ffilmio. Efallai y gallen ni ffilmio ein darn ni cyn i bawb arall gyrraedd? awgrymodd Charlotte.

Edrychai Charlotte yn drawiadol iawn gyda'i gwallt melyn hir yn disgyn at ei bronnau. Syllodd Vincent ar ei bronnau am yn hir cyn iddo glywed ei hun yn dweud.

— Wrth gwrs. Os gallech chi fod yma erbyn un ar ddeg o'r gloch mi wna i'n siŵr y cewch chi ffilmio cyn pawb arall... ac yna cynnal ambell i gyfweliad? meddai gan wenu'n siriol arni.

Ond cyn i Charlotte gael cyfle i ateb daeth cnoc ar y drws.

— Dewch i mewn, gwaeddodd Vincent Pyrs. Agorodd Fabian Defarge y drws a chamu i mewn i'r ystafell.

— A! Monsieur Defarge. Diolch am ddod. Ga i gyflwyno un o'ch cydwladwyr... Charlotte Marat... Fabian Defarge... Fabian Defarge... Charlotte Marat.

Symudodd Charlotte yn anghyffyrddus yn ei chadair cyn estyn ei llaw i Defarge, a blygodd i siglo ei llaw'n gyflym cyn troi at Vincent Pyrs.

— Yr Arolygydd Defarge yw ymgynghorydd diogelwch Llywodraeth Ffrainc tra bydd y llythyr yma, esboniodd Vincent cyn troi ato.

— Mae Mademoiselle Marat yn mynd i ffilmio'r arddangosfa a Llythyr Pennal yn ystod diwrnod y Wasg.

— Diddorol iawn, dywedodd Defarge gan wenu'n sur ar Charlotte.

— I ba gwmni rydych chi'n gweithio? gofynnodd Defarge yn Ffrangeg.

— Rwy'n gweithio i gwmni annibynnol o'r enw Albertine. Fe fydd y rhaglen yn ymddangos ar sianel saith Ffrainc yn ystod yr haf, esboniodd yn Ffrangeg.

Sylwai Defarge fod Vincent Pyrs yn edrych o'r naill i'r llall ac yn ysu am fod yn rhan o'r sgwrs.

— Difyr iawn. O ba ran o Ffrainc ydych chi'n hanu? gofynnodd Defarge yn Saesneg.

— Cefais fy ngeni yn Normandie ond bellach rwy'n byw ym Mharis, atebodd Charlotte yn hyderus.

— Ro'n i ar fin gofyn i Mademoiselle Marat a hoffai weld yr ystafell arddangos, esboniodd Vincent i Defarge. Hoffech chi ymuno â ni, Monsieur Defarge? gofynnodd Vincent yn gwrtais yn Saesneg gan godi o'i sedd a thywys y ddau o'i ystafell ac i mewn i'r ystafell arddangos.

— Wrth gwrs y llythyr fydd *pièce de resistance* yr arddangosfa, ac fe fydd e'n cael ei gadw mewn cas arddangos. Petai rywun yn cyffwrdd â'r cas byddai larwm yn canu'n syth, esboniodd Vincent gan gerdded i ganol yr ystafell at y cas oedd yn wag ar y pryd.

— Byddai'n hyfryd cael y cyfle i ffilmio Glyndŵr yn arwyddo'r llythyr... rwy'n gallu gweld yr olygfa, nawr... *close-up* o'r llythyr gwreiddiol... cyn i'r camera symud at wyneb Glyndŵr a hwnnw'n llawn gobaith am ddyfodol Cymru rydd, awgrymodd Charlotte.

— Ysblennydd. Ysblennydd, ond dwi ddim yn siŵr a fydd hynny'n bosib, atebodd Vincent gan edrych yn betrusgar ar Defarge.

— Mae'n hanfodol ein bod ni'n ffilmio'r llythyr gwreiddiol. Efallai y gallech chi, Monsieur Pyrs, gymryd rhan y Canghellor Gruffudd Young a throsglwyddo'r llythyr i Glyndŵr, awgrymodd Gwen.

Roedd Vincent Pyrs erbyn hynny'n dechrau twymo at y syniad o gymryd rhan yn y rhaglen.

— Wel... dw i ddim yn siŵr. Beth yw eich barn chi am y syniad, Monsieur Defarge? gofynnodd Vincent.

Syllodd Gwen ar Defarge am eiliadau hir. Hon yw'r eiliad dyngedfennol, meddyliodd a'i chalon yn carlamu yn ei brest.

— Monsieur Pyrs sy'n gyfrifol am y llythyr. Os yw e'n hapus, does dim gwrthwynebiad gyda fi, dywedodd Defarge gan edrych yn graff ar Gwen wrth sefyll gyda'i ddwylo ym mhocedi ei got hir.

— O'r gorau, mi wna i a Moelwyn Drake agor y cas, tynnu'r llythyr allan ac yna cerdded ar draws yr ystafell a'i drosglwyddo i Glyndŵr cyn ei gymryd yn ôl oddi arno, wedi iddo esgus ei arwyddo, wrth gwrs.

— Bydd angen bwrdd bychan fan hyn, lle bydd yr actor a fydd yn chwarae rhan Glyndŵr yn eistedd, awgrymodd Gwen, a fu'n astudio'r ystafell yn ofalus. Roedd camera CCTV ym mhob cornel yn y nenfwd. Gwyddai ei bod yn angenrheidiol iddi gofio lleoliad pob dim yno.

— Ry'n ni wedi gwario dros saith deg mil o bunnoedd yn creu'r arddangosfa ac ry'n ni'n gobeithio y bydd hanner can mil o bobl yn ymweld â hi, broliodd Vincent Pyrs cyn tywys Marat a Defarge tuag at nifer o sgriniau rhithwir yn darlunio'r digwyddiadau pwysicaf yn ystod Gwrthryfel Glyndŵr rhwng 1400 a 1410.

— Llythyr Pennal yw canolbwynt yr arddangosfa ond ry'n ni'n falch iawn o'r rhain hefyd, dywedodd Vincent gan bwyntio at ddau fodel maint dyn a safai yn ymyl ei gilydd ar ochr chwith yr ystafell.

— Mademoiselle Marat, gadewch i mi eich cyflwyno chi i Owain Glyndŵr ei hun a Syr Henry Percy, neu Hotspur fel y'i gelwid, a ymladdai ochr yn ochr â Glyndŵr. Mae modelau o Frenin Harri'r Pedwerydd o Loegr, Brenin Carlo'r Pumed o Ffrainc a'r Pab Benedict y trydydd ar ddeg i fod i gyrraedd yr wythnos nesaf.

— Maen nhw wedi costio pum mil o bunnoedd yr un o Siapan. Mae modelau o'r math hwn yn boblogaidd ar y naw gyda'r cyhoedd, ac wedi bod yn llwyddiannus iawn mewn arddangosfeydd ar draws y byd, esboniodd Pyrs.

— Beth yw eu pwrpas? gofynnodd Gwen yn wylaidd.

— Maen nhw'n gallu symud a phan ry'ch chi'n gwasgu botwm ar eu hysgwyddau maen nhw'n siarad. Mae'r cwmni sy'n eu creu nhw wedi dilyn ein cyfarwyddiadau i'r dim ac wedi darparu tâp a'i osod y tu fewn i'r model.

Trodd Vincent Pyrs ar ei sodlau a gweiddi ar Moelwyn Drake a safai ar ysgol yn ceisio gosod baner Glyndŵr ar un o'r waliau.

— Moelwyn! Ydy'r rhain yn gweithio?

Neidiodd Moelwyn oddi ar yr ysgol a chamu draw at y tri.

— Ro'n i'n meddwl cael gair gyda ti amdanyn nhw, Vincent, dechreuodd Moelwyn, ond ni chafodd gyfle i orffen ei frawddeg.

— Ydyn nhw'n barod, Moelwyn? Mae Mademoiselle Marat a'r Arolygydd Defarge yn awyddus i weld y modelau'n gweithio.

— Wel ydyn, Vincent... ond...

Gyda hynny gwasgodd Vincent Pyrs fotwm ar ysgwydd Owain Glyndŵr.

— *It's absolutely marvellous being in America. Much better than being with a bunch of waxworks! And what do you do... marvellous... marvellous!*

— Mae hwnna'n swnio fel eich Tywysog Charles... Tywysog Cymru, meddai Charlotte yn dawel yn Saesneg wrth Vincent Pyrs.

— Mae'r blydi Japs wedi gwneud cawlach o bethau! hisiodd Vincent Pyrs.

— Dwi'n meddwl bod y cwmni wedi cymysgu'r tâp o'n Tywysog Cymru ni, sef Owain Glyndŵr â Thywysog Cymru y Saeson, Prince Charles, a fu'n ymweld â rhyw arddangosfa yn America, sibrydodd Moelwyn wrth Vincent.

— Rwy'n deall hynny'r ynfytyn, gwaeddodd Vincent gan gamu at y model o Syr Henry Percy.

— 'Sen i ddim yn gwasgu'r botwm yna, Vincent, awgrymodd Moelwyn, ond roedd e'n rhy hwyr.

Y peth nesaf glywodd y pedwar oedd Syr Henry Percy, neu Hotspur, yn dweud:

— *I'll win the Cup for Tottingham.*

Gwasgodd y botwm eto. Clywyd Chas and Dave yn canu: *Tottenham, Tottenham, no one can stop them, we're going to do it like we did last year.*

— Beth yn y byd! gwaeddodd Vincent.

Pesychodd Moelwyn cyn ateb: Rwy'n credu mai llais y pêl-droediwr Osvaldo Ardiles, a chwaraeodd i Tottenham Hotspur yn yr 80au a glywoch chi gyntaf... ac wedyn... Chas and Dave... deuawd boblogaidd...

— Rwy'n gwybod pwy yw Chas and Dave, y ffŵl...

— Rwy'n credu bod y cwmni wedi anfon y tâp anghywir i ni eto syr, sibrydodd Moelwyn.

Ar yr un pryd yn arddangosfa Tottenham Hotspur yn White Hart Lane gwasgodd curadur yr arddangosfa fotwm ar ysgwydd model o Osvaldo Ardiles oedd newydd gyrraedd o Siapan y bore hwnnw. Edrychodd yn syn pan glywodd Ossie'n dweud:— *I am Hotspur, Sir Henry Percy and I will fight alongside Owain Glyndŵr for the freedom of Wales.*

— Mae hyn yn anfaddeuol, cyfarthodd Vincent Pyrs gan droi at Charlotte Marat.

— Esgusodwch fi ond mae'n rhaid i mi ffonio Fujiama, gorffennodd gan gamu yn ôl i'w ystafell.

— Ydych chi wedi gweld digon? gofynnodd Defarge i Charlotte.

— Ydw, diolch, meddai Gwen.

— Gadewch i mi eich tywys chi allan.

— Diolch, atebodd Gwen gan wenu cyn cymryd un golwg arall ar yr ystafell a cheisio hoelio'r olygfa yn ei meddwl.

-11-

Hanner awr yn ddiweddarach ffoniodd Fabian Defarge ei feistr, Michelle Giresse, pennaeth Gweinidogaeth Diwylliant Ffrainc.

— Ydy, mae hi'n mynd i geisio dwyn y llythyr am un ar ddeg o'r gloch ar y pumed o Fawrth, dywedodd Defarge.

— Da iawn, Fabian. Faint ohonyn nhw fydd gyda hi?

— Dau.

— Ac fe fyddi di'n barod ar eu cyfer?

— O bydda, dywedodd Defarge gan wenu'n gam.

Rhan 3

1: 09.00

CERDDODD JOHN LAZARUS o ystafell 35 yng Ngwesty'r Belle Vue ac i lawr dwy res o risiau cyn cyrraedd ystafell 25. Curodd deirgwaith ar y drws. Agorodd Gwen y drws a rhoi allwedd yr ystafell iddo heb yngan gair. Aeth John Lazarus i lawr rhes arall o risiau at dderbynfa'r gwesty. Dywedodd, 'bore da', wrth y derbynnydd cyn gadael y gwesty a brasgamu at ei gar a oedd wedi ei barcio hanner canllath oddi yno. Camodd i mewn iddo a'i yrru i dŷ Llew.

2: 09.05

FFONIODD GWEN y derbynnydd. Dywedodd Gwen wrthi fod ganddi *migraine* a doedd hi ddim am i unrhyw un darfu ar ei chwsg yn ystod y bore. Rhoddodd Gwen y peiriant CD o dan y gwely cyn gadael ei hystafell ac yna'r gwesty drwy'r drws cefn. Trodd i'r chwith a cherdded can llath at ei char. Camodd i mewn iddo a'i yrru i dŷ Llew.

3: 09.20

CERDDODD DYN BYR a wisgai got hir a het *bobble* i mewn i Tesco Extra yn ardal Marple o Fanceinion. Prynodd ddau baced o sigaréts a thalu amdanyn nhw gyda cherdyn credyd Gruff Pritchard. Cymerodd y dderbynneb a'i throsglwyddo'n ofalus i'w waled cyn dychwelyd i'w gar.

4: 10.30

ROEDD LLEW, GWEN, Gruff a John Lazarus wedi treulio awr yn cadarnhau trefniadau'r cynllun i ddwyn Llythyr Pennal. Gadawodd y pedwar y tŷ am hanner awr wedi deg. Ni ddywedodd neb air wrth iddynt gamu at y Vauxhall Vectra. Roedd Llew wedi ei wisgo yn ei ddillad canoloesol a'i aeliau, ei fwstás a'i farf wedi eu lliwio'n oren. Gwisgai Gruff wig a mwstás ffals brown. Yn ogystal, gwisgai sgidiau gyda gwadnau trwchus a wnâi iddo edrych o leiaf bedair modfedd yn dalach. Gwisgai Gwen yr un dillad a'r un wig binc felen ag roedd hi wedi eu gwisgo pan aeth hi gyfarfod Vincent Pyrs yn y llyfrgell wythnos ynghynt.

Rhoddodd Gruff y camera a'r sainleolwr ym mŵt y Vauxhall Vectra. Roedd e wedi rhoi platiau ffug ar y car y noson cynt. Taniodd Gwen yr injan a gyrrodd y tri i ffwrdd. Bum munud yn ddiweddarach taniodd John Lazarus gar Llew a dechrau ar ei siwrnai i'r dre.

5: 10.45

PARCIODD JOHN LAZARUS gar Llew mewn cilfach ar gyrion tref Aberystwyth. Gwrandawodd ar raglen Ken Bruce ar Radio 2. Rhegodd yn uchel pan ddyfalodd yn anghywir fod 'Starman' gan David Bowie yn y siartiau yn 1973. Yr ateb cywir oedd 1972.

6: 10.48

PARCIODD GRUFF Y Vauxhall Vectra ym maes parcio'r Llyfrgell Genedlaethol. Camodd y tri drwy brif fynedfa'r Llyfrgell. Roedd Moelwyn Drake yn aros i'w croesawu wrth ddrws y fynedfa. Tywysodd Moelwyn y tri i ystafell lle'r oedd nifer o bobl eraill yn eistedd a sefyllian, yn yfed coffi a bwyta bisgedi. Y rhain oedd aelodau'r criwiau teledu a oedd wedi ymgynnull i ffilmio pecynnau am ddyfodiad Llythyr Pennal i Gymru.

Roedd dyn camera a gohebydd BBC y canolbarth yn siarad â dyn camera a gohebydd HTV y canolbarth. Wrth eu hymyl roedd gohebydd TV Svede a gohebydd Sianel 5 teledu Ffrainc a gariai ei gamera ei hun. Mewn cornel arall safai criw teledu S4C a ddaeth yno i ffilmio rhaglen ddogfen am Owain Glyndŵr. Roedd y gyflwynwraig ifanc benfelen yn ymarfer ei llinellau gyda'i chyfarwyddwr – dyn gwallt hir boliog yn ei bedwar degau hwyr. Wrth eu hymyl safai dyn tal oedd â barf hir ac a wisgai'r un math o ddillad canoloesol â Llew. Siaradai â dyn tal arall, hefyd wedi ei wisgo yn yr un modd â Llew. Gwelodd y ddau fod Owain Glyndŵr arall yn eu plith. Cerddodd y ddau at Llew.

— Helô, Jeff Daniels, actor. Rwy i gyda S4C, dywedodd yn Saesneg cyn rhoi ei gerdyn busnes i Llew.

— A dyma Sven Peterson, actor. Mae e gyda TV Svede, ychwanegodd Jeff.

Roedd Gwen, Llew a Gruff wedi trafod y posibilrwydd o orfod siarad â phobl yn ystod y lladrad. Penderfynodd y tri mai dim ond Saesneg a Ffrangeg fyddai Gwen a Gruff yn eu siarad ac y byddai Llew'n esgus ei fod yn actor Saesneg. Byddai hynny'n sicrhau na fyddai'r heddlu yn chwilio am siaradwyr Cymraeg ar ôl i'r llythyr gael ei ddwyn.

— Miles Richardson. Rwy'n gweithio i Sianel 7 Ffrainc, atebodd Llew yn Saesneg.

— Sut ry'ch chi'n mynd i bortreadu Glyndŵr? gofynnodd Jeff.

— Dwi ddim yn siŵr, atebodd Llew yn Saesneg.

— Rwy'n mynd i chwarae'r rhan yn groes i'r disgwyl...

ychydig yn camp a sensitif yn hytrach na'r ystrydeb o ddyn cadarn. Wrth gwrs mae Gravell ac El Bandito wedi cornelu'r farchnad o bortreadu Glyndŵr fel arwr un dimensiwn... ond darllenais am benderfyniad David Warner i chwarae rhan y Dane fel dyn gwan yn sgil portreadau Olivier a Burton o'r cymeriad... Beth 'ych chi'n feddwl?

— Syniad penigamp, atebodd Llew yn Saesneg.

— Mae Sven yn mynd i bortreadu Glyndŵr fel dyn sy'n gwybod beth fydd ei dynged... yn debyg i'r marchog a chwaraewyd gan Von Sydow yn *Seventh Seal Bergmann.*

— Ia, cytunodd Sven gan nodio'i ben.

Tra oedd Jeff Daniels yn traethu am dechnegau actio bu Llew'n hanner gwrando ar sgwrs rhwng cyflwynydd rhaglen ddogfen S4C â'i chyfarwyddwr.

— A beth yw'r linc olaf? gofynnodd y cyfarwyddwr.

— ...er bod y llythyr yma am dri mis... ac er gwaethaf protestiadau gan genedlaetholwyr Cymru, bydd yn rhaid iddo ddychwelyd i Ffrainc, dywedodd y cyflwynydd.

— *That's marvellous. Where are we going to eat tonight?* gofynnodd y cyfarwyddwr.

— *I don't know, I haven't been back to this shithole since I was at Uni...* atebodd y gyflwynwraig.

Dechreuodd gwaed Llew ferwi wrth sylweddoli bod y ddau'n defnyddio'r Gymraeg yn eu gwaith ond yn siarad Saesneg cyn gynted â bod y camera wedi'i ddiffodd. Byddai Llew wedi adnabod y cyfarwyddwr ym mhig y frân. Bu'n genedlaetholwr brwd yn ystod ei ugeiniau ond bellach yn gyfalafwr yn ei ddeugeiniau.

— *To be honest, Eleri, I can't wait to get back to Cardiff,* dywedodd hwnnw cyn i Llew gamu tuag ato.

— Speak Welsh, you troglodyte, sibrydodd Llew yng nghlust y cyfarwyddwr.

— *What?*

— *Speak Welsh. It's your mother tongue and it's a disgrace that you don't speak it. What do you think the bloody Pennal letter represents, you imbecile?*

— *And who the hell are you?* gofynnodd y llall yn chwyrn.

Sythodd Llew gyda'i lygaid yn pefrio cyn dweud yn y Gymraeg:

— Myfi yw Owain Glyndŵr, gwir dywysog Cymru. Myfi yw'r mab darogan sydd yn brwydro dros ryddid i'n cenedl a sicrhau hawliau ein hiaith. Os treisiodd y gelyn fy ngwlad dan ei droed, mae hen iaith y Cymry mor fyw ag erioed, ni luddiwyd yr awen gan erchyll law brad, na thelyn berseiniol fy ngwlad.

Syllodd y cyfarwyddwr a'r gyflwynwraig yn gegagored ar ôl i Llew orffen ei araith. Erbyn hyn roedd Gwen a Gruff wedi sylweddoli bod Llew wedi colli ei limpyn ac ar fin tanseilio'r cynllun drwy siarad Cymraeg. Closiodd y ddau at Llew gan ddechrau ei arwain oddi yno pan ddechreuodd Jeff Daniels a Sven Petterson glapio.

— Blydi hel. Dyna araith a hanner... byddai unrhyw un yn meddwl eich bod chi'n Gymro i'r carn, dywedodd Jeff yn Saesneg gan guro Llew ar ei gefn mewn cymeradwyaeth.

Lledodd gwên ar draws wyneb y cyfarwyddwr.

— *Very good. Going into your role. Excellent... for a minute I thought that you meant what you were saying... excellent,* dywedodd y cyfarwyddwr.

Dechreuodd Gwen esbonio'n Saesneg i bawb fod Llew wedi ymgolli yn nhechneg actio Stanislavsky ac wedi treulio dyddiau'n dysgu'r araith pan agorwyd drws yr ystafell. Yno roedd Vincent Pyrs.

— Mademoiselle Marat a'i chriw. Dowch gyda fi os gwelwch yn dda, dywedodd Vincent Pyrs, a chamodd y tri trwy'r adwy.

7: 11.02

LLYWIODD JOHN LAZARUS gar Llew o'r gilfach a dechrau gyrru trwy ardal Penparcau, rhyw filltir a hanner y tu allan i'r dre. Roedd yr heol o'i flaen yn glir. Gwelodd John yr arwydd tri deg milltir yr awr. Gwasgodd ei droed dde ar y sbardun. Roedd y car yn teithio'n agos at hanner can milltir yr awr pan wibiodd heibio i gamera cyflymder yr heddlu. Gwelodd Lazarus fflach glas y camera a ddynodai ei fod wedi cael ei ddal yn gyrru'n rhy gyflym. Gwenodd wrth yrru'r car i mewn i'r dref.

8: 11.04

CERDDODD LLEW, GWEN a Gruff y tu ôl i Vincent Pyrs wrth iddo ddringo'r grisiau a cherdded i mewn i'r ystafell arddangos. O'u blaenau safai bwrdd oedd â chadair anferth hynafol wrth ei ochr. Wrth ymyl y bwrdd safai Moelwyn Drake.

— Dyma'r bwrdd a'r gadair y gwnaethoch chi ofyn amdanynt, dywedodd Vincent yn falch.

— Rwy'n credu mai'r lleoliad gorau ar gyfer y bwrdd fyddai draw fan hyn, awgrymodd Gwen gan bwyntio at gornel yr ystafell o dan un o'r camerâu CCTV.

Symudodd Moelwyn, Vincent, Gruff a Llew y bwrdd i'r man delfrydol.

O ganlyniad, dim ond un camera CCTV o'r gornel gyferbyn a wynebai'r bwrdd. Felly, pan fyddai Gwen yn sefyll o flaen y bwrdd byddai'n rhwystro'r camera rhag gweld Llew yn rhoi'r llythyr i mewn ym mhoced gudd ei fantell.

— Gwell i ni ddechrau, Monsieur Pyrs, dywedodd Gwen gan dynnu gwisg ganoloesol o'i bag a'i gwthio i freichiau Vincent Pyrs.

9: 11.05

CERDDODD JOHN LAZARUS i mewn i dafarn yr Hen Lew Du. Roedd y prif farmon y bu'n ei drin yn sarhaus wythnos ynghynt yn sefyll wrth y bar yn darllen copi o'r *Daily Sport*.

— Peint o lager, os gweli di'n dda'r cnych! dywedodd Lazarus.

Cododd y barmon ei lygaid oddi ar gorff deniadol Vicky (19) i weld Lazarus yn gwenu arno.

— Ti! ebychodd y barmon.

Glaniodd tin John Lazarus ar y llawr y tu allan i'r dafarn ddeng eiliad yn ddiweddarach.

— A phaid â dod yn ôl! gwaeddodd y barmon.

Gwenodd Lazarus gan godi ar ei draed a cherdded tuag at siop Woolworths. Roedd e wedi llwyddo i sefydlu alibi ar ei gyfer ef ei hun.

10: 11.07

LLYWIODD Y DYN a wisgai'r got hir a het *bobble*, gar Gruff i mewn i orsaf betrol wrth ochr traffordd yr M56 ger Caer. Llanwodd y car â phetrol a thalu amdano gyda cherdyn credyd Gruff. Wrth iddo dalu cadwodd y dyn ei het yn dynn dros ei ben gan sicrhau na fyddai'r camera CCTV yn gweld ei wyneb. Cymerodd y dderbynneb a'i rhoi yn ei waled cyn cerdded yn ôl i'r car ac ailddechrau ar ei daith.

11: 11.08

PAN GAMODD VINCENT Pyrs i mewn i'r ystafell arddangos roedd Gwen yn ceisio defnyddio'i ffôn symudol.

— Damio... rwy i angen ffonio pobl ym Machynlleth ar gyfer ffilmio yno yfory ond mae'r batri'n fflat. Alla i ddefnyddio'r ffôn yn eich swyddfa? gofynnodd Gwen cyn canmol gwisg Vincent.

— Wrth gwrs, atebodd Vincent, yn edrych yn ysblennydd yn ei wisg o ddwbled a chlos, crychdorch a sanau melyn llachar.

— Pam na cha i wisg? gofynnodd Moelwyn i Vincent, ond cyn i Vincent ateb, meddai yn swrth, — Rwy'n gwybod. Am nad ydw i ond ar radd pump ac ry'ch chi ar radd chwech.

Camodd Gwen i mewn i swyddfa Vincent. Gwelodd ei ddillad yn gorwedd yn ddestlus ar ei ddesg. Daeth o hyd i'r hyn roedd hi'n chwilio amdano ym mhoced ei got a'i drosglwyddo i'w bag. Arhosodd am rai eiliadau cyn camu yn ôl i mewn i'r ystafell arddangos.

12: 11.10

CERDDODD JOHN LAZARUS i mewn i Woolworths. Roedd y lle'n weddol wag. Prynodd ddwy CD – un gan Franz Ferdinand a'r llall gan y Kaiser Chiefs. Talodd am y ddau gyda cherdyn credyd Llew. Cymerodd y dderbynneb a'i rhoi yn ei waled. Camodd o'r siop ac edrychodd ar ei wats. Roedd e wedi creu alibi ar gyfer Llew. Cerddodd tuag at westy'r Belle Vue.

13: 11.12

CYMERODD MOELWYN DRAKE ddwy allwedd o boced ei got a rhoi un i Vincent Pyrs. Camodd y ddau at y cas arddangos lle'r oedd Llythyr Pennal cyn gwthio'r ddwy allwedd i mewn i'r ddau glo. Trodd y ddau eu hallweddi ar yr un pryd ac agorodd y cas. Gwisgodd Vincent Pyrs ei fenig, cododd y llythyr a throi i wynebu Gwen.

— Rwy'n barod, Mademoiselle Marat, dywedodd Vincent gan wenu ar Gwen. Sylwodd Gwen fod Fabian Defarge wedi cerdded i mewn i'r ystafell. Syllodd ar Llew a eisteddai yn y gadair hynafol y tu ôl i'r bwrdd. Yna trodd i edrych ar Gruff, a oedd wedi gosod ei gamera ar ei ysgwydd dde'n barod i ddechrau ffilmio.

— A fyddai'n bosib i chi sefyll draw fan'co tra byddwn ni'n ffilmio? gofynnodd Gwen i Defarge yn Ffrangeg. Nodiodd hwnnw cyn camu at Moelwyn Drake a safai wrth y cas arddangos.

— Reit te, Monsieur Pyrs... os gallech chi gerdded at y bwrdd, rhoi'r llythyr o flaen Owain Glyndŵr a dweud 'Dyma'r llythyr yn barod i chi ei arwyddo, fy nhywysog,' yn y Gymraeg. Wedyn trowch a cherdded i ffwrdd, dywedodd Gwen yn Saesneg wrtho.

— Yna cerddwch yn ôl at y bwrdd, ymgrymu, cymryd y llythyr a dweud 'Anfonaf gennad i Ffrainc ar fy ngheffyl cyflymaf,' yn Gymraeg, iawn? ychwanegodd Gwen gan gamu i'w safle o flaen y camera CCTV.

— Iawn, atebodd Vincent Pyrs gan redeg ei fysedd trwy ei wallt.

— Un peth arall, Monsieur Pyrs... gwell i mi gael eich sbectol. Dwi ddim yn meddwl bod fframiau metel arian yn bodoli yn 1406.

— O! Wrth gwrs, atebodd Vincent gan grychu ei wyneb a cheisio ffocysu ei lygaid.

— Reit. Action! gwaeddodd Gwen. Cerddodd Vincent Pyrs yn araf at y bwrdd.

— Dyma'r llythyr yn barod i chi arwyddo, fy nhywysog, dywedodd Vincent yn glogyrnaidd gan roi'r llythyr ar y bwrdd o flaen Llew cyn troi'n araf, yn bennaf oherwydd na allai weld yn bellach na'i drwyn heb ei sbectol.

Safai Gwen o flaen y camera CCTV. Camodd Gruff at y bwrdd cyn ymestyn ei gorff drosto i gael llun agos o'r llythyr. Hon oedd yr eiliad dyngedfennol. Dyma gyfle Llew i gymryd Llythyr Pennal a'i guddio yn llawes chwith ei fantell tra byddai'n rhyddhau copi o'r llythyr o'i lawes dde. Ond wrth iddo estyn ei fraich chwith i afael yn y llythyr clywodd Vincent Pyrs yn gweiddi.

— Na!

Trodd Llew, Gwen a Gruff eu pennau i weld Vincent Pyrs yn camu at Gwen.

— Na... mae rhywbeth mawr o'i le...

Sythodd y tri.

— Anghofiais i ddweud y gair 'ei'. Dywedais 'dyma'r llythyr i chi arwyddo' yn lle 'dyma'r llythyr yn barod i chi ei arwyddo'. Mae'n flin gen i. Allwn ni ddechrau eto? gofynnodd Vincent.

— *Amateur*, sibrydodd Moelwyn Drake wrth Defarge a safai fel delw gyda'i ddwy law ym mhocedi ei got hir.

— *OK cut*, gwaeddodd Gwen gan ochneidio am eiliadau hir.

— Cymerwch eich amser, Monsieur Pyrs, dywedodd Gwen yn gwrtais. Anadlodd Vincent Pyrs yn drwm am rai eiliadau.

— Rwy'n barod, Mademoiselle Marat.

— *OK. Action.*

Cerddodd Vincent Pyrs yn araf at y bwrdd gan estyn y llythyr o'i flaen.

— Dyma'r llythyr yn barod i chi ei arwyddo fy nhywysog, dywedodd Vincent yn glogyrnaidd unwaith eto.

Gwnaeth Gwen a Gruff eu gwaith fel cynt.

Mewn chwinciad llwyddodd Llew i godi llythyr Pennal a'i guddio yn ei lawes chwith a rhyddhau copi o'r llythyr o'i lawes dde. Nodiodd Llew ei ben a symudodd Gruff yn ôl o'r bwrdd yn barod i ffilmio Vincent Pyrs. Camodd Vincent Pyrs ymlaen a chodi'r llythyr o'r bwrdd.

— Diolch byth ei fod e'n gwisgo menig, meddyliodd Llew gan sylweddoli na fyddai Vincent yn gallu teimlo'r gwahaniaeth rhwng ansawdd y ddau lythyr trwy'r menig.

— Anfonaf gennad i Ffrainc ar fy ngheffyl cyflymaf, dywedodd Vincent Pyrs cyn troi ar ei sodlau a chamu i ffwrdd.

— *Cut!* gwaeddodd Gwen. — Diolch yn fawr, Monsieur Pyrs. Roeddech chi'n wych, dywedodd cyn rhoi'i sbectol yn ôl iddo.

— Ydych chi wir yn meddwl hynny? gofynnodd Vincent cyn cofio bod y llythyr yn ei law.

— Esgusodwch fi am eiliad, meddai gan wisgo ei sbectol a chamu at y cas arddangos. Ymunodd Moelwyn Drake ag ef ac aeth y ddau drwy'r ddefod o gau'r cas gyda'r ddwy allwedd.

Edrychodd Gwen ar ei wats. Hanner awr wedi un ar ddeg.

— Ai dyna'r amser? Dy'n ni ddim eisiau cymryd rhagor o'ch amser, dywedodd.

— Fe wna i eu tywys nhw allan, dywedodd Defarge gan wenu'n gam. — Dilynwch fi, dywedodd yn awdurdodol wrth y tri.

14: 11.20

CERDDODD JOHN LAZARUS i mewn i westy'r Belle Vue a chamu at y dderbynfa gan ofyn am yr allwedd i'w ystafell. Cerddodd i fyny'r grisiau, tynnu allwedd arall o'i boced ac agor drws ystafell 25. Camodd at y gwely, aeth ar ei benliniau a thynnu'r peiriant CD allan o dan y gwely a rhoi CD i mewn ynddo. Cododd y ffôn . Clywodd y ffôn yn canu am rai eiliadau cyn i'r derbynnydd ateb.

— *Hello, room service*, dywedodd y fenyw.

Gwasgodd Lazarus rif 10 ar y peiriant CD.

— Helô. Rwy i eisiau i chi ddod â chwpanaid o goffi a brechdan ham i fyny i ystafell dau ddeg pump os gwelwch yn dda, dywedodd llais Gwen.

— Iawn. Ydych chi angen rhywbeth arall? gofynnodd y derbynnydd.

Gwasgodd John Lazarus rif 3 ar y peiriant CD.

— Na, dim diolch, ac yna rhoddodd y ffôn yn ôl yn ei lle.

Cododd John o'r gwely, rhoi'r peiriant CD o dan ei gesail a cherdded i mewn i'r ystafell ymolchi gan gloi'r drws o'r tu fewn. Yna trodd y gawod ymlaen ac aros i'r coffi a'r frechdan gyrraedd.

15: 11.33

CERDDODD FABIAN DEFARGE at fynedfa'r Llyfrgell Genedlaethol. Y tu ôl iddo cerddai Gwen, Llew a Gruff. Pan gyrhaeddodd Defarge y drws trodd i wynebu'r tri.

— Wel, dyna ni. Diolch yn fawr am hyrwyddo'r arddangosfa, dywedodd Defarge yn Ffrangeg wrth Gwen.

— Pleser pur, atebodd Gwen gan siglo'i law.

— A diolch i chi. Perfformiad gwych, dywedodd Defarge gan siglo llaw Llew. Ni ddywedodd Llew air.

Trodd Defarge at Gruff. — Ry'ch chi'n meddwl eich bod chi wedi bod yn glyfar iawn, 'yn 'dych chi?

— Dwi ddim yn deall, atebodd Gruff yn Ffrangeg gan ddechrau poeni bod yr Arolygydd Defarge wedi sylweddoli bod y tri wedi dwyn y llythyr.

— Clyfar iawn, meddai Defarge gan roi ei ddwylo yn ei bocedi. — Rwy'n gwybod yn gwmws beth roeddech chi'n ei wneud.

Edrychodd Gruff yn wyllt ar Llew a Gwen. — Damio. Mae hi ar ben arnon ni, meddyliodd.

— Wnaethoch chi... beth yw'r gair?... wel... does dim gair arall amdano... fe wnaethoch chi ddwyn...

Teimlodd Gruff y chwys yn lledu ar draws ei dalcen.

— ... ddwyn y syniad o shot y camera'n codi o'r llythyr at wyneb Glyndŵr o gampwaith Francois Truffaut *Jules et Jim* ...on'do fe? Rwy'n wyliwr ffilmiau brwd ac rwy'n deall y pethau 'ma.

— Wel... *un homage* fyddwn i'n galw'r hyn wnes i, atebodd Gruff yn gyflym.

— Digon teg, meddai Defarge gan gamu i'r naill ochr er mwyn caniatáu i'r tri adael yr adeilad.

— Siwrne dda yn ôl i Ffrainc, ychwanegodd wrth iddynt adael yr adeilad.

16: 11.34

Curodd Denise Williams ar ddrws ystafell 25 Gwesty'r Belle Vue. Roedd hi'n dal hambwrdd oedd â cafetiere o goffi a brechdan arno yn ei llaw chwith. Gwasgodd John Lazarus rif 4 ar y peiriant CD.

— Dewch i mewn... rwy i yn y gawod, galwodd llais Gwen o'r peiriant.

Cerddodd Denise i mewn i'r ystafell a sefyll wrth ddrws yr ystafell ymolchi.

— Ble 'ych chi'n moyn e? gofynnodd gan obeithio cael clonc fach gyda'r fenyw yn y gawod. Roedd hi wedi bod yn gweithio ers saith o'r gloch y bore hwnnw yn helpu i baratoi brecwast i ryw ddwsin o letywyr cyn dechrau ar ei defod ddyddiol o lanhau eu hystafelloedd.

Gwasgodd Lazarus rif 5 ar y peiriant CD.

— Draw fan'na ar bwys y gwely, os gwelwch yn dda.

— Sori. Beth ddywedoch chi? gofynnodd Denise, am nad oedd hi wedi clywed y fenyw'n glir dros sŵn y gawod. Trodd Lazarus y sain i fyny cyn gwasgu rhif 5 eto.

— Draw fan'na ar bwys y gwely, os gwelwch yn dda, gwaeddodd Gwen.

— Draw fan'na ar bwys y gwely ddywedoch chi? gofynnodd Denise.

Gwasgodd Lazarus rif 1 ar y peiriant CD.

— Ie, gwaeddodd Gwen yn uwch.

— Olreit, olreit! Does dim angen gweiddi.

Rhoddodd Denise yr hambwrdd wrth ymyl y gwely. Sylwodd fod y gwely heb ei wneud. Cerddodd yn ôl at ddrws yr ystafell ymolchi.

— Ydych chi eisiau i mi lanhau'r ystafell tra'ch bod chi yn y gawod? gwaeddodd Denise.

— Damio, meddyliodd Lazarus. Edrychodd ar y rhestr o'i flaen i weld pa ateb byddai'n fwyaf addas. Gwasgodd rif 2.

— Na, dim diolch, atebodd Gwen. Ond anghofiodd Lazarus wasgu'r botwm i stopio'r peiriant.

Felly, ar ôl i Denise ddweud: Ydych chi'n siŵr? Fydda i ddim chwinciad, clywodd Gwen yn dweud.

— Dewch i mewn. Rwy yn y gawod.

Cymerodd Denise gam yn ôl o'r drws, gan ddweud: Dwi ddim yn credu y byddai hynny'n syniad da...

Dechreuodd Lazarus ddrysu a gwasgodd rif 10 yn ddamweiniol wrth iddo geisio stopio'r peiriant.

— Helô rwy i eisiau i chi ddod... a glywyd cyn i Lazarus lwyddo i stopio'r teclyn.

— Na wna i, wir. Ych a fi, gwaeddodd Denise.

Erbyn hyn roedd Lazarus wedi drysu'n llwyr a gwasgodd fotwm 11 gan obeithio clywed Gwen yn dweud, Da boch chi nawr.

Ond, am fod cymaint o stêm yn yr ystafell ymolchi gwrthododd y peiriant chwarae trac 11. Yn hytrach penderfynodd y teclyn chwarae trac 1 dro ar ôl tro.

— Ie.Ie.Ie.Ie.Ie.Ie.Ie.Ie.Ie.Ie.Ie.Ie, gwaeddodd Gwen.

Gwasgodd Lazarus bob botwm ar y peiriant gan geisio rhoi taw ar sŵn Gwen yn wlyb fflachio.

— Dwi erioed wedi clywed unrhyw beth mor fochynnaidd yn 'y mywyd. Rwy'n mynd i'ch riportio chi i'r *management*. Ry'ch chi'n hollol ddigywilydd, gwaeddodd Denise cyn gadael.

O'r diwedd llwyddodd Lazarus i stopio'r peiriant drwy dynnu'r batris o gefn y teclyn. Camodd o'r ystafell ymolchi. Gwelodd ei adlewyrchiad mewn drych yn hongian gyferbyn ag ef. Roedd e'n chwys diferu.

— Paid â chynhyrfu. Beth fyddai Mad Mike Hoare yn ei wneud? dywedodd wrtho'i hun. Rhoddodd y peiriant CD yn ei fag cyn camu at yr hambwrdd lle'r oedd y coffi a'r frechdan. Yfodd ddwy gwpanaid o goffi'n gyflym cyn penderfynu mai'r unig beth y gallai ei wneud oedd bwrw 'mlaen gyda'r cynllun. Cloiodd Lazarus ddrws ystafell 25 ar ei ôl a mynd i lawr at y dderbynfa lle'r oedd Denise Williams yn adrodd hanes y digwyddiad erchyll wrth un o'i chydweithwyr.

— Dylwn i ei riportio hi i Miss Lomax... ond rwy'n gwybod beth fydd hi'n ddweud... *'The Customer is always right.'* Felly, be 'di'r pwynt?

Cytunodd ei chydweithiwr. Cymerodd Lazarus anadl hir, cerdded at y dderbynfa a thalu ei fil mewn arian parod. Wedyn gadawodd y gwesty ac anelu am gar Llew.

17: 11.35

CLODD DAFYDD ROGERS ei gar a cherdded drwy faes parcio'r Llyfrgell Genedlaethol. Roedd e wedi cynhyrfu'n lân. Yn ddeugain mlwydd oed, heddiw oedd y diwrnod y byddai, o'r diwedd, yn cael cyfle i weld a thrafod Llythyr Pennal.

Roedd Dafydd Rogers yn ddarlithydd hanes, yn arbenigo yn yr Oesoedd Canol, ym Mhrifysgol Bangor. Roedd y Cynulliad wedi gofyn iddo ddatgan bod Llythyr Pennal yn ddilys cyn iddynt dalu'r arian am yswirio'r llythyr.

Wrth iddo gerdded at brif fynedfa'r Llyfrgell roedd pen Dafydd Rogers yn llawn o ddelweddau yn ymwneud ag Owain Glyndŵr, yn enwedig y ddelwedd ohono'n arwyddo'r llythyr cyn ei anfon i Ffrainc.

Eiliad yn ddiweddarach stopiodd Dafydd yn stond wrth iddo weld ffigwr tal â barf yn brasgamu tuag ato. Oedd, roedd ysbryd Owain Glyndŵr yn camu tuag ato. Roedd ei arwr wedi penderfynu datgelu ei hun iddo. Dechreuodd Dafydd foesymgrymu o flaen ei dywysog cyn sylweddoli bod dyn a menyw yn cerdded y tu ôl i'r ffigwr. Cododd ei ben yn gyflym a gwenodd wrth iddo sylweddoli nad ysbryd Tywysog Cymru oedd yn camu tuag ato wedi'r cwbwl, ond actor gyda chriw ffilmio.

Wrth iddo edrych i mewn i lygaid yr actor caeodd ei lygaid am eiliad. Ai hwn oedd y dyn y bu'n gyd-fyfyriwr gydag ef ar gwrs MA mewn hanes bymtheng mlynedd yn ôl. Beth oedd ei enw?...Ie... Llew Jones – y boi gafodd ei garcharu.

Erbyn hyn roedd Llew ar fin cerdded heibio i Dafydd.

—Llew? Llew Jones? 'Ych chi'n 'y nghofio fi? Dafydd Rogers... Ro'n ni yn y Coleg gyda'n gilydd...

Wrth gwrs, doedd Llew ddim wedi dod ato'i hun yn llwyr ar ôl y sgwrs gyda Defarge ddwy funud ynghynt. Adnabyddodd Dafydd Rogers yn syth. Fe oedd myfyriwr mwyaf disglair ei flwyddyn. Stopiodd Llew yn yr unfan gan fethu ag yngan gair.

— Llew 'achan... beth wyt ti'n wneud y dyddie 'ma? gan estyn ei law i Llew.

— Mae'n flin gen i. Dy'n ni ddim yn siarad Cymraeg. Ry'n ni'n griw ffilmio o Ffrainc, dywedodd Gwen yn Saesneg. Roedd hi wedi sylweddoli bod y sefyllfa yn un beryglus iawn a allai ddatblygu i fod yn drychinebus petai Llew'n dechrau siarad Cymraeg.

— Mae'n flin gen i, ond ro'n i'n meddwl 'mod i'n eich adnabod? dywedodd Dafydd gan syllu ar Llew.

— Dwi ddim wedi cyfarfod â chi erioed o'r blaen, dywedodd Llew mewn Ffrangeg perffaith.

— Fy nghamgymeriad i. Esgusodwch fi, ymddiheurodd Dafydd.

— Peidiwch â phoeni. Dydd da, atebodd Gwen yn Saesneg gan wenu'n wylaidd cyn dilyn y ddau arall.

Wrth iddo eu gadael meddyliodd Dafydd Rogers fod y dyn yn edrych yr un ffunud â Llew... ond wedi dweud hynny, roedd e'n dewach na Llew... ac roedd gan hwn farf... ac wrth gwrs roedd pymtheng mlynedd ers iddo ei weld. Na, ei gamgymeriad e oedd e. Mwy na thebyg am ei fod wedi cynhyrfu wrth feddwl am ddal llythyr Pennal yn ei law.

Edrychodd Dafydd Rogers ar ei wats. Ugain munud i ddeuddeg. Roedd e wedi trefnu i astudio'r llythyr am dri o'r gloch, ond cyn hynny, byddai'n cael cinio gyda'r Llyfrgellydd, Alan White. Ymhen dim anghofiodd Dafydd am Llew. Dechreuodd ddychmygu ei hun yn byseddu llythyr Pennal y prynhawn hwnnw. Hyfryd.

Gwyliodd y tri Dafydd Rogers yn eu gadael.

— Wnaiff e anghofio amdana i, gobeithio. Roedden ni'n ddigon pendant ynglŷn â'n stori, dywedodd Llew yn ansicr.

— Gobeithio! dywedodd Gruff.

— Os gwnaeth Lazarus ei waith yn iawn bydd gen i alibi cryf, ta beth, ychwanegodd Llew.

— Digon gwir. Ond do'n i ddim yn sylweddoli dy fod ti'n siarad Ffrangeg, meddai Gwen.

— Dwi ddim, atebodd gan giledrych ar Gruff.

— Mae'r hyn ddywedais i wrth Dafydd Rogers yn llinell enwog o'r ffilm *French Connection*. Dewch ymlaen. Dim ond hanner y gwaith sydd wedi ei gyflawni.

18: 11.55

GYRRODD GRUFF Y car i faes parcio Somerfield yng nghanol Aberystwyth. Erbyn i Gwen gamu o'r cerbyd roedd hi wedi tynnu'r wig binc felen ac wedi gwisgo cot hir i guddio dillad

Charlotte Marat. Cerddodd tuag at gar Llew lle eisteddai John Lazarus.

Taniodd Lazarus yr injan ac wrth iddo yrru, rhoddodd allwedd ystafell 25 yn ôl i Gwen gan esbonio'n gyflym beth oedd wedi mynd o'i le. Ymhen dwy funud cyrhaeddon nhw gefn gwesty'r Belle Vue. Camodd Gwen o'r car a cherdded at fynedfa gefn y Gwesty.

Yn y cyfamser gyrrodd Gruff y Vauxhall Vectra i dŷ Llew. Gorweddai Llew ar y sedd gefn rhag i neb weld dyn â barf oren yn teithio tuag at Bonterwyd. Pan gyrhaeddon nhw'r tŷ, chwarter awr yn ddiweddarach, gwelodd y ddau gar Gruff. Roedd dyn yn gwisgo het *bobble* a chot hir yn eistedd yn y car.

Camodd Gruff o'r Vauxhall Vectra ac agor y bŵt cyn tynnu'r tâp o'r lladrad allan o'r camera. Tynnodd y camera a'r seinleolwr o'r bŵt a'u rhoi ar y llawr wrth ymyl ei gar.

Camodd y dyn gyda'r het *bobble* a'r got hir o'r car a cherdded at y Vauxhall Vectra. Cyfnewidiodd ef a Gruff allweddi'r ddau gar a chymerodd Gruff ei garden credyd yn ôl gan y dyn. Dywedodd yn Saesneg.

— Cofia fi at Adrian, Lionel.

— Mi wna i. Piti nad yw Malcolm Summerbee'n adnabod rhywun arall sy'n edrych fel ti, dywedodd Lionel yn chwyrn cyn tynnu'i het a'i got a'u taflu ar ben y camera a'r seinleolwr.

Camodd i mewn i'r car a dechrau ar ei daith ddwy awr a hanner yn ôl i Fanceinion. Erbyn tri o'r gloch y prynhawn hwnnw byddai'r car wedi ei wasgu'n deilchion yn iard sgrap Malcolm Summerbee.

Yn y cyfamser, roedd Llew wedi camu o'r car, wedi tynnu ei ddillad canoloesol a'u rhoi wrth ymyl y camera a'r seinleolwr.

Bum munud yn ddiweddarach cyrhaeddodd John Lazarus. Cododd Gruff y camera a'r seinleolwr. Cododd Lazarus ddillad Lionel a Llew. Dechreuodd y ddau ar eu taith i fyny'r llechwedd at hen dwll mwynglawdd cyn taflu'r cwbl i lawr y can troedfedd o ddyfnder.

19: 12.10

AR ÔL CAMU i mewn i'r gawod am ddeg eiliad cyn sychu'i gwallt yn gyflym cododd Gwen y ffôn. Ar ôl rhai eiliadau atebodd y derbynnydd.

— Helô. A fyddai'n bosib i chi ddod â phaned o de i fyny i ystafell 25, os gwelwch yn dda? gofynnodd Gwen.

Deng munud yn ddiweddarach curodd rhywun ar y drws.

— Dewch i mewn, gwaeddodd Gwen, a orweddai ar y gwely yn gwisgo ei gŵn llofft.

Cerddodd dwy fenyw i mewn i'r ystafell a sefyll wrth waelod y gwely.

— Ble mae'r te? gofynnodd Gwen.

— Fe fydd y te'n cyrraedd yn y man, dywedodd Miss Lomax, menyw fer, dew yn ei deugeiniau cynnar.

— Gofynnwch iddi, Miss Lomax... Gofynnwch iddi wadu ei hymddygiad gwarthus, taranodd Denise Williams, menyw dal yn ei phum degau cynnar.

— Wel... mae hwn yn fater delicet... mae Denise yn honni eich bod chi wedi gwneud awgrymiadau... wel, rhywiol iddi... ryw hanner awr yn ôl... dechreuodd Miss Lomax.

— Fi? Pa fath o awgrymiadau rhywiol? gofynnodd Gwen cyn i Denise ymyrryd.

— Peidiwch â gwadu nad chi oedd hi. Fyddwn i'n nabod y llais la-di-da 'na yn unrhyw le, gwaeddodd Denise.

Gwenodd Gwen wrth iddi sylweddoli bod y gyflafan wedi troi'n llwyddiant wrth i Denise hoelio'i halibi.

— A pryd oedd hynny? gofynnodd Gwen.

— Hanner awr yn ôl... tua hanner awr wedi un ar ddeg.

— O rwy'n cofio... Ro'n i'n cael cawod...

— A gwneud pethau eraill 'fyd... pethau brwnt, dechreuodd Denise.

— Dyna ddigon, Denise, ymyrrodd Miss Lomax. — Rwy'n siŵr bod esboniad i'r... i'r camddealltwriaeth...

— Camddealltwriaeth! Pah! taranodd Denise.

— Dyna ddigon, Denise. Efallai y gallech chi ddweud beth yn union ddigwyddodd, Miss Vaughan.

Cododd Gwen o'r gwely i wynebu'r ddwy fenyw.

— Does gen i ddim byd i'w guddio. Rwy'n hoyw ac rydw i wedi ffansïo Denise ers i mi ei gweld hi'n cerdded yn ôl ac ymlaen gyda phlatiau brecwast echdoe. Mae gen ti ben-ôl hyfryd, Denise, dywedodd Gwen gan geisio canmol Denise.

— Wel... mae sawl person wedi dweud hynny yn y gorffennol, dechreuodd Denise, — ond dyw hynny ddim yn rhoi'r hawl i chi geisio 'yn sediwsio i!

— Os nad 'ych chi'n gofyn 'dych chi'n cael dim yn yr hen fyd 'ma, dywedodd Gwen yn wylaidd.

— Hmmm, meddai Miss Lomax.

— Rwy'n credu y byddai'n well i mi ddelio â'r achos, Denise. Ewch i nôl te, Miss Vaughan.

Cerddodd Denise o'r ystafell gan siglo ei phen-ôl yn ormodol a chau'r drws yn glep.

— Wrth gwrs fyddai rhywun ansoffistigedig fel Denise ddim yn deall gofynion menywod... gawn ni ddweud, mwy diwylliedig fel chi a... fi, dywedodd Miss Lomax gan glosio at Gwen.

— Wna i roi dau ddewis i chi. Gallwch chi adael y gwesty nawr... neu gallwch chi gloi'r drws 'na a...

Cododd Gwen ei haeliau wrth iddi weld Miss Lomax yn agosáu gyda'i llygaid yn pefrio.

20: 12.50

AGORODD GWEN DDRWS ffrynt tŷ Llew a gweld Llew, Gruff a John Lazarus yn eistedd o gwmpas y ford gyda Llythyr Pennal o'u blaenau.

— Ble yn y byd rwyt ti 'di bod? gofynnodd Llew yn wyllt.

— Aeth rhywbeth o'i le? holodd Gruff.

— Wnest ti sortio pethe? gofynnodd John Lazarus yn dawel.

— Cefais y dewis o adael y Belle Vue yn syth neu gael rhyw nwydwyllt gyda'r rheolwraig, Miss Lomax, oedd eisiau fy sbancio i ar 'y mhen-ôl gyda hambwrdd, atebodd Gwen.

— A chyn i chi ofyn, fe 'nes i adael yn syth gyda'r alibi gorau erioed, ychwanegodd Gwen gan wenu ar Lazarus.

Cerddodd Gwen draw i ymuno â'r tri a ddaliai i syllu ar y llythyr. Ar ôl eiliadau hir o dawelwch cododd Gruff o'i sedd, a chamu at y peiriant CD. Gwasgodd fotwm a chlywyd cordiau agoriadol 'Llawenydd Heb Ddiwedd' gan y Cyrff. Teimlai Gruff ei fod yn ôl yn 1990.

21: 12.55

ROEDD YR AROLYGYDD Fabian Defarge yn sefyll y tu allan i'r Llyfrgell Genedlaethol pan ganodd ei ffôn symudol. Gwelodd mai ei feistr, Michelle Giresse, oedd yn galw.

— Defarge yma, meddai Defarge.

— Wel? meddai Giresse.

— Aeth popeth fel roeddech chi'n ei ddymuno, syr.

— *Superbe!*

Diffoddodd Defarge y ffôn a chamu yn ôl i mewn i'r Llyfrgell.

Rhan 4

-1-

GORWEDDAI LLEW AR y soffa yn cnoi gwm nicotîn. Edrychai ar y llun o Salem yn hongian ar wal ger y drws ffrynt. Roedd llythyr Pennal bellach wedi ei osod y tu ôl i'r llun. Caeodd Llew ei lygaid a gwrando ar eitem am arddangosfa brodwaith yn Llanidloes ar Radio Cymru. Hyd yn hyn doedd dim sôn am ladrad Llythyr Pennal ar y newyddion. Roedd hyn yn arwydd da i'r Gwylliaid cyn iddynt barhau â'u cynlluniau.

Eisteddai Gwen a Gruff gyferbyn â'i gilydd wrth y ford y tu ôl i'r soffa. Roedd y ddau'n chwarae pontŵn gan wrando'n nerfus ar y radio. Wrth iddo chwarae cardiau poenai Gruff am Fabian Defarge. Roedd e'n argyhoeddedig bod Defarge wedi sylweddoli eu bod nhw wedi dwyn y llythyr. Ond, os felly, pam na wnaeth eu hatal rhag dianc?

Roedd Gwen yn poeni am ffolineb Llew'n areithio yn y Gymraeg wrth y cyfarwyddwr teledu gan fygwth tanseilio'r cynllun. Byddai'r heddlu'n sicr o ddarganfod bod y dyn a bortreadodd Glyndŵr yn siarad Cymraeg. Hefyd, byddai Llew yn siŵr o gael ei arestio petai'r dyn a wnaeth ei adnabod ym maes parcio'r Llyfrgell yn cysylltu â'r heddlu.

Roedd Llew, hefyd, yn hel meddyliau am Dafydd Rogers. Gobeithiai y byddai ei alibi'n ddigon da petai'r heddlu'n ei holi ble roedd e rhwng un ar ddeg a hanner dydd y diwrnod hwnnw.

Roedd John Lazarus yn y gegin yn paratoi brechdanau a the ar gyfer pawb. Poenai pwy oedd y llais cudd ar raglen Johnny Walker ar Radio 2. Credai mai'r actor Albert Finney oedd e ond doedd e ddim yn hollol siŵr. Doedd e ddim eisiau colli'r rhaglen rhag ofn y byddai rhywun yn dyfalu'r ateb cywir.

Agorodd Llew ei lygaid ac edrych ar y cloc – dwy funud i ddau o'r gloch.

— John! Dere 'ma! gwaeddodd Llew. Daeth John Lazarus i mewn yn cario hambwrdd. Arno roedd plât anferth yn llawn o frechdanau ham a chaws, pedwar mwg, jwg o laeth a phot o de. Rhoddodd yr hambwrdd ar y ford rhwng Gwen a Gruff cyn dweud,

— Brodwaith! Llanidloes! Beth yw'r cachu hyn? Alla i roi'r teledu ymlaen? Mae'r *Big Quiz* ar Sianel 5.

— Ry'n ni'n gwrando ar Radio Cymru rhag ofn bod unrhyw newyddion am y lladrad, meddai Gwen yn chwyrn.

— Olreit. Ond rwy i angen gwylio *Countdown* nes mlaen, meddai Lazarus gan dywallt cwpanaid o de iddo'i hun.

— Ydy e gyda ti? gofynnodd Llew i Gwen gan godi o'r soffa.

Nodiodd Gwen ei phen a thynnu ffôn symudol o'i phoced. Hon oedd ffôn symudol Vincent Pyrs a gymerodd o boced ei gôt wrth esgus defnyddio'r ffôn yn ei swyddfa yn ystod y lladrad. Byddai defnyddio ffôn Vincent Pyrs yn sicrhau na fyddai'r heddlu'n cysylltu'r alwad ag un o aelodau Gwylliaid Glyndŵr.

— Wyt ti'n gwybod beth i'w ddweud? gofynnodd Llew.

Nodiodd Gwen gan ddeialu'r rhifau 02920. Ond stopiodd ddeialu pan sylweddolodd fod rhywbeth o'i le.

— Damio. Does dim signal 'ma, gwaeddodd.

Cymerodd Llew'r ffôn oddi wrth Gwen.

— Blydi Nokia yw e'. Mae'n amhosib cael signal gyda ffôn fel 'na ffor hyn, dywedodd Llew. — Dilynwch fi.

Pum munud yn ddiweddarach roedd Gwen, Gruff a John Lazarus wedi cyrraedd top y llechwedd y tu ôl i dŷ Llew. Tair munud yn ddiweddarach ymunodd Llew â nhw gan anadlu'n drwm cyn dechrau chwydu.

— Dere 'mlân Shrek, gwaeddodd Gwen arno'n swta. — Mae gen i signal fan hyn. Clywodd lais dyn ar y ffôn.

— Hello, BBC Newsgathering.

Dechreuodd Gwen siarad yn araf ac yn glir yn Saesneg

ond yn acen Ffrengig gryf Charlotte Marat. Esboniodd fod Llythyr Pennal wedi ei ddwyn o'r Llyfrgell Genedlaethol.

— Sori. Allwch chi ddweud hynny eto. Mae'r signal yn wael.

Ailadroddodd Gwen ei gosodiad gan weiddi i mewn i'r ffôn.

— Blydi hel, meddai'r dyn o'r BBC. — A phwy sydd wedi dwyn Llythyr Pennal?

— Gwylliaid Glyndŵr! Ac mae ein gofynion yn rhai syml... meddai Gwen cyn iddi glywed tri bip a ddynodai fod batri'r ffôn yn isel.

— Pwy wnaeth ddwyn y llythyr? oedd y peth olaf a glywodd Gwen cyn i'r batri farw.

— Damio, gwaeddodd Gwen.

— Beth sydd wedi digwydd? gofynnodd Gruff.

— Mae'r blydi batri wedi marw cyn i fi ddweud wrthyn nhw beth yw ein gofynion, meddai gan daflu'r ffôn ar lawr.

Safodd pawb yn eu hunfan am eiliadau hir.

— Mae gen i siarjwr batri ffôn symudol yn y tŷ, meddai Gruff gan ruthro i lawr y llechwedd gyda Gwen a John Lazarus yn dynn ar ei sodlau. Penderfynodd Llew gerdded i lawr rhag ofn iddo lewygu.

-2-

AM DDENG MUNUD wedi dau o'r gloch dechreuodd gohebydd y BBC yn y Canolbarth, Lenny Meredith, recordio cyfweliad gyda Vincent Pyrs o flaen y cas arddangos lle credent fod Llythyr Pennal.

— Vincent Pyrs, beth yw pwysigrwydd y Llythyr i'r genedl? gofynnodd Lenny Meredith, pan ganodd ffôn symudol y dyn camera, John Briggs.

— Blydi hel, John. *Why don't you switch that bloody thing off?* gwaeddodd Lenny gan wybod y byddai'n rhaid iddo recordio'r cwestiwn eto.

— *In case we get a decent story*, meddai John Briggs, cyn ateb y ffôn.

— Ie...Ie...Ie... dywedodd Briggs cyn rhoi'r ffôn i Lenny Meredith.

— *It's for you. News Editor*, dywedodd Briggs yn swrth.

— Lenny Meredith yn siarad... Ie, dywedodd Lenny'n dawel cyn gwrando'n astud ar lais yn gweiddi arno o ben arall y ffôn. Trodd Lenny i edrych ar y cas arddangos, wedyn edrychodd ar Vincent Pyrs cyn dweud wrth y golygydd newyddion:

— Wrth gwrs, gwna i ofyn iddo fe. Rhoddodd arwydd i'r dyn camera ddechrau ffilmio.

— Sori, Vincent... fe ddechreuwn ni eto.

— Iawn, meddai Vincent gan wenu'n gwrtais.

— *Are you turning, John?*

— *Ready when you are, Mr De Mille.*

— Vincent Pyrs, ydy e'n wir fod Llythyr Pennal wedi cael ei ddwyn o'r Llyfrgell y bore 'ma?

Edrychodd Vincent yn syn i mewn i'r camera cyn rhythu ar Lenny mewn anghrediniaeth.

— Dwi ddim yn deall y cwestiwn, Lenny, dywedodd Vincent ar ôl rhai eiliadau gan geisio gwenu.

— Mae'r BBC wedi derbyn honiad bod Llythyr Pennal wedi ei ddwyn y bore 'ma.

— Na! Amhosib! dywedodd Vincent Pyrs, cyn meddwl am y fonheddwraig Charlotte Marat a'i chriw... ac ef... ie, efe, Vincent Pyrs wedi ei wisgo fel ynfytyn... yn... yn... trosglwyddo'r llythyr iddyn nhw...

— Wel, Lenny... yyyr... yyyr... dywedodd Vincent Pyrs.

— Wel. Allwch chi brofi mai hwn yw Llythyr Pennal ai peidio? gofynnodd Lenny Meredith yn gadarn.

— Moelwyn! Moelwyn! Dere 'ma, gwaeddodd Vincent Pyrs.

-3-

Bum munud yn ddiweddarach safai Dafydd Rogers o flaen cas arddangos Llythyr Pennal. Roedd Vincent Pyrs a Moelwyn Drake wedi agor y cas ac yn awr edrychent yn eiddgar ar Dafydd Rogers, yr arbenigwr a ddaeth yno'r prynhawn hwnnw i gadarnhau dilysrwydd y llythyr.

Gwisgai Dafydd Rogers bâr o fenig. Cydiodd yn y llythyr a'i roi ar fwrdd cyfagos er mwyn ei astudio. Y tu ôl iddo roedd Lenny Meredith a John Briggs, yn ffilmio'r digwyddiad cyffrous.

— Ac mae'r Athro Dafydd Rogers, arbenigwr ar ddogfennau'r Oesoedd Canol yn edrych yn fanwl ar y llythyr, sibrydodd Lenny i mewn i'w feicroffon gan sefyll yn ei gwrcwd y tu ôl i Dafydd Rogers.

— Wel? gofynnodd Vincent Pyrs gan edrych yn betrusgar ar y llythyr.

— Mae'n wych! ebychodd Dafydd.

— Beth sy'n wych? gofynnodd y Llyfrgellydd, Alan White, a syllai ar y llythyr dros ysgwydd chwith Vincent Pyrs.

— Mae'r memrwn wedi ei wneud o groen gafr... ac mae'r ysgrifen yn berffaith. Ar yr olwg gyntaf mi fyddwn i'n dweud mai hwn, heb os nac oni bai, yw llythyr Pennal, dywedodd Dafydd.

— Diolch i'r nefoedd, ebychodd Vincent Pyrs

— Phew, dywedodd Alan White.

— Damio, sibrydodd Lenny Meredith o dan ei anadl.

— Ond mae'r llofnod ar y gwaelod yn gwneud i mi amau nad hwn yw Llythyr Pennal, ychwanegodd Dafydd Rogers gan edrych yn graff ar y llythyr.

— Pam? gofynnodd Vincent Pyrs, Alan White a Lenny Meredith gyda'i gilydd. Cododd Dafydd Rogers ei ben.

— Oherwydd nad llofnod Owain Glyndŵr ond llofnod Daffy

Duck sydd ar waelod y llythyr.

Cododd Vincent Pyrs y llythyr oddi ar y bwrdd.

— Fuckadiddlyfuckfuck, ysgyrnygodd Vincent Pyrs.

— *Did you get that, John?* gofynnodd Lenny Meredith. Gwenodd hwnnw a nodio'i ben.

— Galwch yr heddlu, gwaeddodd Vincent Pyrs gan chwilio am ei ffôn symudol ym mhoced ei gôt.

Byddai Lenny Meredith wedi rhoi benthyg ei ffôn i Vincent Pyrs ond ar y pryd roedd e'n ffonio'i olygydd newyddion yng Nghaerdydd. Ymhen hanner awr byddai Cymru gyfan yn gwybod bod Llythyr Pennal wedi cael ei ddwyn o dan drwynau'r awdurdod.

-4-

— BLYDI HEL, dyw e ddim yn ffitio, gwaeddodd Gruff wrth iddo geisio gwthio pen y siarjwr batri i mewn i ffôn symudol Vincent Pyrs.

— Arhoswch funud. Mae gen i syniad, meddai John Lazarus. — Mae gen i ffôn Nokia... pam na allwn ni roi cerdyn SIM Vincent Pyrs i mewn i fy ffôn i? Ei rif e fydd yn ymddangos...

Camodd Llew at John a'i gusanu ar ei dalcen. Trosglwyddodd Llew'r cerdyn SIM o ffôn Vincent Pyrs i ffôn John Lazarus ymhen eiliadau.

— Reit... mae'n well i ni fynd yn ôl i fyny'r bryn i ffonio'r BBC eto, dywedodd Llew. Ond cyn iddyn nhw symud cam clywsant ddatganiad ar Radio Cymru.

— Awn ni draw i'n hystafell newyddion yn awr am y newyddion diweddaraf. Cafodd Llythyr Pennal, sydd yn rhan o arddangosfa yn Llyfrgell Genedlaethol Cymru, ei ddwyn y bore 'ma. Does neb wedi cymryd cyfrifoldeb hyd yn hyn. Bydd mwy o wybodaeth gennym ni yn ein bwletin newyddion am dri o'r gloch...

— Dewch 'mlaen. Does dim eiliad i'w golli, gwaeddodd Gruff gan ruthro o'r tŷ. Rhegodd Llew o dan ei wynt am ei fod yn sylweddoli ei fod mor heini â hipopotamws sy'n smygu deugain Lambert a Butler bob dydd.

Deng munud yn ddiweddarach cyrhaeddodd pawb gopa'r bryn. Ceisiodd Gwen ffonio rhif y BBC ddwsin o weithiau cyn llwyddo. Esboniodd Gwen yn araf ac yn glir mai Gwylliaid Glyndŵr oedd wedi dwyn llythyr Pennal ac roedden nhw'n mynnu bod Llywodraeth Ffrainc yn arwyddo cytundeb ysgrifenedig a fyddai'n caniatáu i'r llythyr gael ei drosglwyddo i Gymru am byth.

— *Is that it*? gofynnodd y dyn heb ddangos fawr o ddiddordeb.

— *Yes*, dywedodd Gwen yn chwyrn.

— OK. Bye, meddai'r dyn.

— Doedd dim llawer o ddiddordeb gan y diawl, dywedodd Gwen wrth gerdded yn ôl i'r tŷ.

— Fel 'na mae'r hacs 'na. Paid â phoeni dim, dywedodd Lazarus a gawsai brofiadau erchyll o'r wasg wrth geisio ennill cyfiawnder iddo ef ei hun.

Pan wrandawodd pawb ar fwletin tri o'r gloch Radio Cymru sylweddolon nhw pam fod cyn lleied o ddiddordeb gan y newyddiadurwr yn y Gwylliaid.

— Hyd yn hyn mae naw grŵp wedi hawlio cyfrifoldeb dros ddwyn y llythyr. Ymhlith y rhain mae Wyrion Glyndŵr sy'n mynnu derbyn miliwn o bunnoedd cyn dychwelyd y llythyr; mae'r South Wales Liberation Front yn mynnu bod Max Boyce yn cael ei benodi'n Brif Weinidog Cymru ac mae'r Cyfamodwyr yn mynnu bod...

Doedd dim sôn am y Gwylliaid na'u gofynion.

— Ry'n ni wedi cael ein hanwybyddu'n llwyr, meddai Gruff

ar ddiwedd bwletin y newyddion.

— Beth ry'n ni'n mynd i neud? gofynnodd Lazarus i Gwen a Llew.

— Ie, Llew, beth ry'n ni'n mynd i neud? gofynnodd Gwen yn ben isel.

Erbyn hyn teimlai Llew'n isel iawn ei ysbryd. Yn rhannol oherwydd bod y cynllun wedi dechrau chwalu, ond yn bennaf am y credai fod Gwen yn ei ystyried yn glorwth mawr tew a fu'n fwy o rwystr nag o help i'r cynllun. Roedd y ffaith iddi ei gymharu â'r ellyll, Shrek, wedi siglo ei hunanhyder yn gyfan gwbl. Roedd Llew wedi syrthio i waelod ei gors o anobaith personol ac roedd ei sanau'n wlyb siwps. Teimlai mor anobeithiol â dyn gydag un goes mewn cystadleuaeth cicio pen-ôl.

Ond, eiliad yn ddiweddarach, teimlai fel dyn gydag un goes mewn cystadleuaeth cicio pen-ôl oedd newydd sylweddoli bod pob ymgeisydd arall yn y gystadleuaeth heb goesau o gwbl. Cafodd Llew syniad. Cododd ar ei draed a chamu i'r gegin. Dychwelodd rai eiliadau'n ddiweddarach. Gwenodd gan sylweddoli fod duwies ffawd wedi gwenu arno.

— Mae gennym ni rywbeth sydd ddim gan y South Wales Liberation Front, na chan Wyrion Glyndŵr, na neb arall sy'n honni mai nhw wnaeth ddwyn y llythyr, dechreuodd Llew gan dynnu rhywbeth o du ôl i'w gefn a'i ddangos i'r tri.

— Wrth gwrs, gwaeddodd Gruff gan edrych ar Llew yn dal y casét a ddefnyddiodd i ffilmio'r lladrad.

— Felly? gofynnodd Gwen.

— Felly, mi wnawn ni anfon y casét i'r Llyfrgell gyda nodyn byr yn dweud mai ni wnaeth ddwyn y llythyr ac yn nodi ein gofynion.

— Hmmmm, meddai Gwen.

— Beth sy'n bod ar y syniad 'na? Mae'n un gwych, gofynnodd Gruff.

— Bydd yn rhaid i ni anfon copi o'r casét, dywedodd Gwen.

— Pam? gofynnodd Gruff.

— Am fod yn rhaid i ni gadw'r copi gwreiddiol i brofi mai ni yw'r lladron, dywedodd Lazarus yn eiddgar.

— Cywir. Ond mae 'na reswm arall, atebodd Gwen.

— Beth? gofynnodd Gruff.

— Dyw Llew ddim yn gwisgo menig sy'n golygu fod ei olion bysedd ar y casét, esboniodd Gwen.

Teimlai Llew dduwies ffawd yn rhoi cic anferthol iddo yn ei din. Caeodd ei lygaid am eiliad cyn i John Lazarus ddweud. — Paid â phoeni, Llew. Mae gen i declyn recordio tâp i dâp yn fy nhŷ.

— Da iawn, John, dywedodd Gruff. — Gwen, os gwnei di deipio neges yn Ffrangeg yn ailadrodd ein gofynion galla i yrru John i'w dŷ i wneud copi o'r fideo cyn ei bostio i'r Llyfrgell Genedlaethol.

— Faint o'r gloch yw hi? gofynnodd Gwen.

— Chwarter wedi tri, atebodd Gruff. — Dylen ni lwyddo i ddal y post olaf am hanner awr wedi pump. Dylai'r pecyn gyrraedd y Llyfrgell Genedlaethol ben bore 'fory.

— Cofia wneud yn siŵr nad oes dim byd damniol ar y tâp, Gruff... a phawb, cofiwch wisgo menig! meddai Gwen gan edrych yn gyhuddgar ar Llew, ac yntau'n prysur suddo ymhellach i'w gors o anobaith.

-5-

ROEDD SVEN PETERSON a'r criw o TV Svede yn ffilmio darn am y gwarchae a fu ar gastell Aberystwyth yn 1408 pan welsant ddeg heddwas yn rhedeg tuag atynt drwy a thros olion y castell. Gwenodd Sven ar y cyfarwyddwr oherwydd credai fod ymddangosiad yr heddlu yn rhan o'r ffilmio. Gwyddai

Sven am dechnegau anarferol ei gyfarwyddwr. Tybiai mai actorion oedd yr heddweision a gynrychiolai fyddin Harri'r Pumed. Rhedodd Sven nerth ei draed at yr heddweision. Dechreuodd gicio a phwnio aelodau o fyddin y Saeson ond cafodd dipyn o sioc pan ddechreuson nhw ei fwrw â phastynau wrth geisio atal y gwallgofddyn rhag dianc.

Roedd cyfarwyddwr a chyflwynydd y rhaglen ddogfen S4C yn eistedd wrth y bwrdd yn ystafell y cyfarwyddwr mewn gwesty moethus yn y dref pan dorrodd yr heddlu i mewn. Roedd y ddau ynghanol snortio llinell hir o gocên pan ddaliwyd nhw gan yr heddlu.

Roedd actor rhaglen ddogfen S4C yn yfed yng nghwmni newyddiadurwr o Sianel 5 Ffrainc, a gohebydd a dyn camera HTV yn nhafarn yr Angel pan arestiwyd nhw hanner awr yn ddiweddarach.

Arestiwyd gohebydd y BBC yn y Canolbarth, Lenny Meredith, a'i ddyn camera, John Briggs, hefyd, yn bennaf er mwyn eu hatal rhag anfon y tâp a fyddai'n profi bod rhywun wedi gwneud ffyliaid o awdurdodau'r llyfrgell.

Erbyn hanner awr wedi pedwar arestiwyd pob aelod o bob criw ffilmio a fu yn y Llyfrgell Genedlaethol y diwrnod hwnnw a chawsant eu tywys i orsaf yr heddlu yn Aberystwyth. Pob criw ffilmio heblaw am un, wrth gwrs.

Taflwyd pawb i mewn i'r un gell. Wrth gloi hanner dwsin o newyddiadurwyr mewn ystafell, dim ond un peth all ddigwydd. Fel y pirana byddan nhw'n dechrau bwyta ei gilydd. Felly, dechreuodd Lenny Meredith gyfweld aelodau o Svede TV, a nhw'n cyfweld criw rhaglen ddogfen S4C, a hwythau'n cyfweld newyddiadurwr o Sianel 5 Ffrainc, tra bod hwy'n cyfweld gohebydd canolbarth HTV...

Ond gwyddai'r heddlu bod un criw teledu heb eu harestio, sef criw Charlotte Marat.

-6-

GYRRODD GRUFF EI gar yn araf o dŷ Llew i dŷ John Lazarus yn Llanilar. Ni feiddiai Gruff yrru'n rhy gyflym rhag ofn iddo gael ei stopio gan yr heddlu. Wrth yrru tuag at gyrion tref Aberystwyth gwelodd o leiaf ddeg o geir yr heddlu yn gwibio heibio gyda'u goleuadau glas yn fflachio a'u seirenau'n canu'n groch.

O'r diwedd cyrhaeddodd y ddau dŷ John. Aeth y ddau'n syth at y peiriant fideo o dan y teledu yn yr ystafell fyw. Cymerodd Gruff y caset fideo a dynnwyd o'r lladrad o'i boced a'i roi i mewn yn y peiriant fideo a'i ailddirwyn.

— Dere mlân... Does dim llawer o amser gyda ni, Gruff, dywedodd John gan edrych ar ei wats.

— Paid â chynhyrfu, John bach. Ble mae'r casetiau gwag?

— Draw fan'co o dan y silffoedd, dywedodd John gan wasgu'r botwm i chwarae'r casét. – Gwell i ni weld a oes unrhyw beth damniol ar y tap.

Gosododd Gruff y casét gwag wrth ochr y silff fideos cyn troi i ailymuno â John Lazarus. Sylwodd 'run o'r ddau ar y casét gwag yn cwympo ar y glustog ar lawr.

Wrth i'r ddau wylio'r casét sylweddolodd Gruff iddo wneud ei waith yn broffesiynol. Gwelwyd Vincent Pyrs yn ei holl ogoniant yn rhoi'r llythyr ar y bwrdd a llaw chwith Llew'n codi'r llythyr a'i roi i fyny llawes chwith ei fantell tra syrthiodd copi o'r llythyr o'i lawes dde a glanio ar y bwrdd. Gwylion nhw Vincent Pyrs yn cymryd y llythyr a chamu i ffwrdd. Nid oedd y fideo'n dangos wyneb Llew ac ar ôl astudio'r casét yn fanwl ni welai'r ddau unrhyw farciau anarferol ar ei ddwylo ychwaith.

Gwenodd Gruff wrth ddweud, — Does dim tystiolaeth i brofi pwy wnaeth ddwyn y llythyr.

— Reit, dere â'r tâp gwag 'na 'ma i mi gael ei recordio fe,

meddai John wrth ailddirwyn y casét unwaith eto.

Aeth Gruff yn ôl at y silff a chymryd y casét gwag a adawodd yno ynghynt. Ond, wrth gwrs, y casét arall o dan y casét gwreiddiol oedd hwnnw. Rhoddodd John Lazarus y casét i mewn yn y peiriant fideo arall a gwasgu'r botwm recordio.

Bum munud yn ddiweddarach tynnodd John Lazarus y casét o'r peiriant fideo a'i drosglwyddo i Gruff. Rhoddodd ef y casét mewn amlen frown gyda chyfeiriad y Llyfrgell Genedlaethol arni. Y tu fewn i'r amlen roedd gofynion Gwylliaid Glyndŵr wedi eu teipio'n daclus ar ddarn o bapur. Caeodd Gruff yr amlen gan wybod fod rhywbeth o'i le.

— Damio. Oes stampiau 'da ti?

— Pwps. Nac oes.

Gyrrodd y ddau i Swyddfa Bost, Aberystwyth. Roedd hi'n chwarter wedi pump pan ddychwelodd Lazarus i'r car.

— Unrhyw broblem?

— Dwy bunt a chweugen, dwy bunt a chweugen! Daylight Robbery, cwynodd Lazarus.

— Dwywaith mewn diwrnod, 'te, atebodd Gruff gan chwerthin. — Wnest ti bostio'r llythyr?

— Do.

— Y tu allan i'r swyddfa, lle does dim camerâu?

— Ie.

— Dosbarth cyntaf?

— Ie, ac i wneud yn siŵr gwnes i ddefnyddio registered delivery.

— Beth? Registered delivery! Ond mae'n rhaid i ti roi dy gyfeiriad ar yr amlen i ddefnyddio registered delivery, y ffŵl.

Gwenodd John Lazarus.

— Dim ond tynnu dy goes! Gwranda. Beth yn y byd all fynd o'i le? gofynnodd Lazarus gan wrando ar y gystadleuaeth llais cudd ar raglen Johnny Walker. Clywodd rywun yn dyfalu'r ateb cywir. Albert Finney. Gwenodd yn hunangyfiawn. Doedd dim byd allai fynd o'i le ar ddiwrnod fel hwn, meddyliodd.

-7-

Camodd Prif Gwnstabl Heddlu Dyfed Powys, Vic Fisher, i mewn i un o ystafelloedd cynadledda gorsaf yr heddlu yn Aberystwyth. O'i flaen eisteddai Llyfrgellydd Llyfrgell Genedlaethol Cymru, Alan White, Vincent Pyrs, Moelwyn Drake, Fabian Defarge a dyn moel, tenau yn ei bedwar degau cynnar a gododd ar ei draed pan welodd Fisher yn cerdded i mewn i'r ystafell.

— Prynhawn da, gyfeillion. Eisteddwch i lawr, Williams, dywedodd y Prif Gwnstabl Fisher yn Saesneg wrth y dyn moel, tenau cyn ymuno â'r gweddill wrth y bwrdd hir a hwythau'n eiddgar i glywed y newyddion diweddaraf am ladrad Llythyr Pennal. — Gadewch i mi gyflwyno'r Prif Arolygydd Dyfed Williams sydd wedi ei benodi i arwain yr ymchwiliad hwn. Yna, trodd Fisher ei olygon at Vincent Pyrs a Moelwyn Drake.

— Fel rwy'n deall, yn sgil trafodaethau'r prynhawn 'ma rhwng y Swyddfa Gartref a Llywodraeth Ffrainc, sef perchennog y llythyr, fe fydd y Prif Arolygydd Williams yn cydweithio'n agos â'r Prif Arolygydd Defarge, ychwanegodd Fisher gan amneidio at Defarge. Yna trodd i gyflwyno swyddogion y Llyfrgell Genedlaethol i'r Prif Arolygydd Williams. — Dyma Mr White, Mr Pyrs a Mr Drake, meddai Fisher gan wenu'n sur ar y tri.

— Yn gyntaf gadewch i mi eich hysbysu bod agoriad swyddogol yr arddangosfa gan Weinidog Diwylliant y Cynulliad wedi ei ohirio... Nawr at y lladrad. Bydd ein ditectifs ni'n cynnal cyfweliadau â holl aelodau staff y Llyfrgell yfory. Rydyn ni'n cadw meddwl agored ynglŷn â'r lladron, dywedodd, gan edrych yn graff ar Pyrs a Drake. — Gyda llaw, o'r hyn rwy'n ei ddeall, nid yw'r llythyr wedi'i yswirio. Wrth gwrs, erbyn hyn mae deg grŵp o genedlaetholwyr yn hawlio cyfrifoldeb am y lladrad. Ry'n ni wedi darganfod rhifau ffôn pawb wnaeth ffonio'r BBC, dywedodd Fisher.

— Ydych chi'n mynd i'w harestio nhw? gofynnodd Vincent yn frwd.

— Nac ydyn, Mr Pyrs. Mae gennym bellach dystiolaeth sy'n awgrymu mai criw ffilmio Mademoiselle Charlotte Marat wnaeth ddwyn y llythyr. Crancs yw'r gweddill, dywedodd Fisher:

— Pwy ydyn nhw? gofynnodd Alan White gan godi o'i sedd.

— Gwylliaid Glyndŵr. Y Glyndŵr Bandits. Fe wnaethon nhw ffonio'r BBC heno.

— Ond sut gallwch chi fod mor sicr mai nhw yw'r lladron? gofynnodd Vincent Pyrs.

— Am fod y BBC yn cofnodi pob galwad maen nhw'n ei derbyn ac ry'n ni wedi darganfod pwy oedd piau'r ffôn a ddefnyddiwyd i hawlio'r cyfrifoldeb am y lladrad, esboniodd Fisher.

— Gwych, meddai Vincent Pyrs gan wincio ar Moelwyn Drake.

— Nid gwych o gwbl, Mr Pyrs oherwydd defnyddion nhw eich ffôn chi, Mr Pyrs, dywedodd Fisher gan edrych ar Vincent Pyrs am esboniad.

— Fuckadiddlyfuckfuck, meddai Vincent Pyrs o dan ei anadl gan gau ei lygaid.

— Peidiwch â phoeni, Mr Pyrs, d'yn ni ddim yn meddwl eich bod chi'n rhan o'r lladrad, dechreuodd Fisher.

— Diolch byth am hynny, dywedodd Vincent yn gyflym cyn i Fisher ychwanegu. — Ar hyn o bryd. Ond rwy'n siŵr y bydd y Prif Arolygydd Williams a'i dîm am ofyn sawl cwestiwn i chi yn ystod yr oriau... hir... nesaf oherwydd mi wnaethoch chi gyfarfod â nhw mwy nag unwaith, yn ôl Mr Drake, meddai Fisher gan wenu'n fygythiol ar Vincent Pyrs. Trodd Vincent Pyrs ac edrych yn fygythiol ar Moelwyn Drake a fu mor barod i'w fradychu.

— Ro'n i yno hefyd, meddai Defarge, cyn mynd ati i esbonio

mai gang o Ffrainc oedd yn gyfrifol, yn ei farn ef. — Roedd Ffrangeg y fenyw a'r dyn camera yn berffaith, meddai.

— Rwy'n tueddu i gytuno gyda chi, Arolygydd Defarge, ond beth am y dyn oedd yn chwarae rhan Owain Glyndŵr? gofynnodd Fisher.

— Ddywedodd e ddim byd, atebodd Defarge.

Edrychodd Fisher ar ei ffeil am rai eiliadau cyn codi ei ben a dweud, — Yn ôl Jeff Daniels, sydd yn actor gyda chriw teledu S4C, enw'r dyn yw Miles Richardson, actor Saesneg a gyflogwyd gan y ddau arall i chwarae rhan Glyndŵr. Yn ôl Equity mae actor o'r enw Miles Richardson yn aelod o'r undeb, ond roedd e'n chwarae rhan Syr Filbert Pilkington mewn perfformiad matinee o *Woops Where's My Trousers* yn Whitby y prynhawn 'ma. Felly, yn fy marn i doedd Miles Richardson ddim yn aelod o'r gang wnaeth ddwyn y llythyr!

— *But Holmes how did you deduce that?* dywedodd Moelwyn Drake o dan ei anadl.

— Yn ôl Jeff Daniels llwyddodd y lleidr i areithio mewn Cymraeg perffaith. Mae'n bosib mai Sais sydd wedi dysgu ychydig o Gymraeg yw'r dyn ond mae'n fwy tebygol mai Cymro sydd yn methu siarad Ffrangeg yw'r actor, neu fe fyddai wedi siarad Ffrangeg gyda chi, Defarge, meddai Fisher.

Ysai Alan White i ofyn y cwestiwn, — Beth yw gofynion y Gwylliaid Glyndŵr 'ma?

— Maen nhw'n mynnu bod Llywodraeth Ffrainc yn rhoi'r llythyr yn ôl i Gymru, dywedodd Fisher gan edrych ar Defarge a gododd ei ysgwyddau cyn ateb,

— Mater gwleidyddol yw hynny. Fe fydd yn rhaid i fy meistri drafod y posibilrwydd o ddychwelyd y llythyr i Gymru, dywedodd yn swrth.

— Ydy hynny'n debygol? gofynnodd Fisher.

— Plismon ydw i, Monsieur Fisher. Y peth pwysicaf yw

dechrau'r ymchwiliad cyn gynted â phosib a gadael y penderfyniadau gwleidyddol i'r gwleidyddion, dywedodd Defarge.

−8−

CYNEUODD GRUFF SIGARÉT cyn rhoi mintys yn ei geg a'i sugno tra oedd e'n smygu.

— Wyt ti'n meddwl y byddi di'n llwyddo i dwyllo Gwen fel 'na? gofynnodd John Lazarus gan siglo ei ben. — Blydi hel, Gruff! Wneith hi ferwi dy geilliau di os gwneith hi arogli mwg ar dy anadl.

— Paid â bod yn gymaint o grafwr. Dwyt ti ddim yn smygu oherwydd i ti bron ag achosi i ben-ôl Gwen gael ei sbancio'n biws gan reolwraig y Belle Vue, atebodd Gruff wrth yrru'r car allan o'r dre.

— Ta beth. Beth sy'n digwydd nawr? gofynnodd John.

— Yn ddelfrydol, bydd yr awdurdodau'n derbyn y casét bore 'fory. Bydd hynny'n cadarnhau mai ni wnaeth ddwyn y llythyr. O ganlyniad bydd yn rhaid iddyn nhw drafod y posibilrwydd o ddychwelyd y llythyr am byth i Gymru, esboniodd Gruff.

— Ond beth os na wnaiff y Ffrancwyr gytuno i wneud hynny?

— Fel y maen nhw'n dweud yn Ffrainc, Tough Titty. Fe wnawn ni gadw'r llythyr ac eith Gwen i Lundain i werthu sêl Glyndŵr i un o'i chysylltiadau, hynny yw os na wneith hi fradychu Llew fel y gwnaeth hi bymtheng mlynedd yn ôl! esboniodd Gruff.

— Am beth wyt ti'n sôn? gofynnodd Lazarus mewn penbleth.

Esboniodd Gruff am berthynas Llew a Gwen flynyddoedd ynghynt. Soniodd hefyd am y cynllun i ddinistrio tai haf trwy adael i ddŵr redeg trwyddynt cyn i Gwen fradychu Llew.

— Beth ddigwyddodd? gofynnodd Lazarus yn glustiau i gyd.

— Roedd Llew yn y llofft yn agor y tapiau tra bod Gwen ar y llawr gwaelod, dechreuodd Gruff.

— Beth oedd hi'n wneud?

— Roedd hi i fod ar wyliadwriaeth rhag ofn y byddai rhywun yn agosáu at y tŷ. Ond yn lle gwneud hynny roedd hi'n brysur yn dewis ornaments ac antîcs i'w rhoi mewn sach a'u cuddio ym mŵt car Llew.

— O ganlyniad, welodd Gwen mo goleuadau'r car yn dod i fyny'r lôn at y tŷ tan y funud olaf. Gwaeddodd ar Llew i'w rybuddio bod rhywun yn dod cyn rhedeg nerth ei thraed trwy'r drws cefn, neidio dros ffens a diflannu i'r tywyllwch.

— Ond chlywodd Llew mohoni'n gweiddi arno uwchben sŵn y dŵr yn rhedeg. Pan gerddodd lawr y grisiau fe'i croesawyd gan Mr Peter Robinson a'i deulu, dyn cydnerth dros ei chwe throedfedd a hanai o Wolverhampton. Pan gyrhaeddodd yr heddlu hanner awr yn ddiweddarach roedd Llew yn gorwedd yn anymwybodol ar y llawr. Wrth gwrs honnai Mr Robinson i Llew gwympo i lawr y grisiau! Ta beth, daeth yr heddlu o hyd i'r bag yn llawn o antîcs. A phan archwilion nhw atig fflat Llew darganfyddon nhw antîcs o'r chwe thŷ arall roedd Llew a Gwen wedi'u difrodi.

— Yn amlwg roedd Gwen wedi bachu ar y cyfle i wneud pres o'r gweithredu drwy ddwyn antîcs, dywedodd Gruff. — Ac roedd yr ast yn ddigon craff i guddio'r antîcs yn fflat Llew.

— A doedd Llew yn gwybod dim am hyn?

— Dim byd. Wrth gwrs, cymerodd Llew'r cyfrifoldeb am ddwyn yr antîcs yn ogystal â'r gweithredu. Ei wobr am wneud hynny oedd carchar am dair blynedd a chael ei ddirmygu gan bawb oedd yn gysylltiedig â'r achos.

— Blydi hel, ond pam yn y byd y gwnaeth e gytuno i'w helpu hi nawr? gofynnodd John Lazarus.

Chwarddodd Gruff. — Am ei fod e'n dal i'w charu hi wrth gwrs... rwy'n siŵr ei fod e'n credu bod dwyn y llythyr yn gyfle iddyn nhw ailgydio yn eu perthynas yn ogystal â rhoi cyfle iddi achub ei cham.

— Ond pam wnest ti gytuno i'w helpu hi?

— Helpu Llew ydw i, nid hi. Mae dwyn y llythyr yn gyfle iddo ailennill ei hunan-barch ac rwy i eisiau bod yno os gwnaiff hi feiddio ceisio ei fradychu unwaith eto.

— Pam y byddai hi'n gwneud hynny?

— Mae sêl Glyndŵr yn werth £100,000 i'r prynwr iawn ond mae'r llythyr a'r sêl gyda'i gilydd werth o leiaf £700,000. Rwy'n ofni y bydd y demtasiwn yn ormod iddi. — Gwell i ni gadw llygad craff arni hi, John. Do's arna i o leia ddim ei hofn, gorffennodd Gruff gan daflu ei sigarét drwy ffenestr y car a rhoi mintys arall yn ei geg.

–9–

EISTEDDAI LLEW YNG nghegin ei dŷ. Edrychai'n debycach i Siôn Corn nag Owain Glyndŵr am fod ei farf wedi ei chuddio gan ewyn siafio. Eisteddai Gwen gyferbyn ag ef. Dechreuodd siafio ei farf er mwyn gwneud iddo edrych yn wahanol i'r dyn fu'n helpu i ddwyn llythyr Pennal.

— Bydda'n ofalus. Mae'r raser na'n siarp ar y diawl, dywedodd Llew gan gau ei lygaid a gwingo wrth i Gwen roi'r raser ger ei glust a'i thynnu'n araf i lawr ei wyneb. Golchodd Gwen y raser mewn powlen o ddŵr poeth.

— Pryd wyt ti'n meddwl gadael? gofynnodd Llew tra daliai Gwen ei ben yn llonydd er mwyn siafio rhagor o'i farf.

— Mae'n dibynnu, atebodd Gwen gan olchi'r raser unwaith eto.

— Dibynnu ar beth? holodd Llew gan giledrych ar Gwen.

Edrychodd Gwen ar wyneb Llew am rai eiliadau cyn ateb.

— Dyw llygaid pobl ddim yn newid wrth iddyn nhw heneiddio, nac ydyn nhw? Mae'r corff yn tewhau, mae'r croen yn crychu ac mae'r gwallt yn moeli neu'n gwynnu, ond dyw'r llygaid ddim yn heneiddio.

— Dibynnu ar beth? gofynnodd Llew unwaith eto.

— Sori... mae'n dibynnu pryd y galla i drefnu cyfarfod gyda fy nghysylltiad... yr un sydd am brynu'r sêl.

— Ble mae e'n byw?

— Yn Llundain. Ffonia i fe heno neu bore fory. Mwy na thebyg gwna i deithio i Lundain cyn gynted ag y bydda i'n gwybod bod y casét wedi cyrraedd y Llyfrgell.

— Ac wedyn?

— Rhoi'r arian yn y banc a mynd yn ôl i Ffrainc i dalu fy nyledion... a dechrau eto, dywedodd Gwen cyn dechrau chwerthin.

— Edrych, dywedodd, gan godi drych. Gwelodd Llew fod hanner ei farf wedi diflannu.

— Ro'n i wastad yn meddwl dy fod ti'n ddauwynebog, dywedodd Gwen gan ddechrau chwerthin eto.

Yna, meddai Llew'n ddirybudd, — Ry'n ni'n gwneud tîm da, smo ti'n meddwl?

— Fel Bonnie a Clyde?

— Wel... ie.

— Saethodd yr heddlu gant wyth deg a saith o fwledi i mewn i gar Clyde Barrow a Bonnie Parker pan gawson nhw eu lladd, oedd sylw Gwen cyn meddwl am eiliad. — Llew, gwranda. Ro'n i'n arfer gwneud tîm da... ond gwnes i dy ddefnyddio di i ddwyn yr holl antîcs 'na.

— Roeddet ti'n ifanc... dylai'r ffaith dy fod ti'n arfer bod... sori, dy fod ti'n kleptomaniac, ddylai hynny ddim amharu ar ein perthynas.

— Pa berthynas, Llew? Smo ti'n cofio'r llythyr wnest ti 'i anfon i mi o'r carchar. Dywedaist ti'r pryd 'ny nad oeddet ti am 'y ngweld i eto.

— Do'n i ddim yn 'i feddwl e. Blydi hel, Gwen, Ro'n i'n gorfod dweud hynny neu fe fyddai'r awdurdodau wedi dechrau amau dy fod ti'n rhan o'r gweithredu.

— Rwy'n deall hynny, ond 'sen ni'n dal gyda'n gilydd fyddet ti wastad yn meddwl y byddwn i'n dy fradychu ti 'to. Gwranda Llew... rwy'n ddiolchgar dy fod ti'n 'yn helpu i... ond, ti a fi, na. Mae'n well i fi fynd i Lundain, ac mae'n bwysig dy fod ti'n sicrhau bod y llythyr yn aros yng Nghymru.

Gwyddai Llew ei fod wedi gwneud cawlach o geisio adennill Gwen yn ystod y bythefnos ddiwethaf. Bu bron iddo danseilio'r lladrad drwy siarad Cymraeg â'r cyfarwyddwr teledu rhwysgfawr. Hefyd, byddai'r cynllun yn cael ei strywio'n gyfan gwbl pe bai Dafydd Rogers yn dweud wrth yr heddlu ei fod yn amau bod Llew yn rhan o'r gang wnaeth ddwyn y llythyr. I goroni pob dim roedd yn rhaid iddo gyfaddef ei fod wedi tewhau tipyn erbyn hyn ac na fyddai'n debygol o fod yn uwch na Patrick Moore a Russell Grant ar restr Gwen o 'ddynion yr hoffwn gael rhyw gyda nhw'. Er hynny roedd Llew yn gwybod rhywbeth a allai newid pob dim. Penderfynodd nad oedd ganddo ddim i'w golli.

— Gwen, mae gen i rywbeth pwysig i'w ddweud wrthot ti...

Ond cyn iddo orffen ei frawddeg rhoddodd Gwen ei bys ar ei wefusau a'u cau cyn siafio rhwng ei wefus uchaf a'i drwyn.

Bu tawelwch rhwng y ddau wrth i Gwen orffen siafio'i farf. Roedd hi'n sicr mai ysu i ddweud wrthi ei fod yn dal i'w charu roedd Llew, ond tybed? Cyn i Llew gael cyfle i ddweud gair arall clywodd y ddau sŵn car Gruff yn agosáu at y tŷ. Munud yn ddiweddarach camodd Gruff a John Lazarus drwy'r drws ffrynt. Gwenodd Gruff pan welodd wyneb Llew.

— Iesu, Llew. Rwyt ti'n edrych pymtheng mlynedd yn iau.

— Ond dwi ddim, nag ydw i?

Esboniodd Gruff a John fod y casét wedi ei anfon i'r Llyfrgell.

— Da iawn, meddai Gwen, gan glosio at Gruff a gwenu cyn cymryd ei gwd yn ei llaw chwith a'i gwasgu'n dynn.

— Ond dyw'r gwaith ddim wedi gorffen eto. Felly os gei di sigarét arall rwyt ti'n gwybod beth ddigwyddith i ti, meddai Gwen yn ffyrnig.

— Iawn. Digon teg, atebodd Gruff gan wichian mewn poen, gan feddwl beth fyddai ei chosb hi pe byddai'n bradychu Llew.

Camodd Gwen at John Lazarus a chrychu ei thrwyn.

— Gwd boi, John, dywedodd gan slapio'i foch chwith yn dyner. Nawr te, cer â dy gar adref ac aros yn dy dŷ am ddeuddydd. Paid â siarad gyda neb a phaid â mynd i unman rhag ofn y bydd angen i ni gysylltu gyda ti. A gofala, paid â mynd i'r dafarn i ddathlu. Dwi ddim eisiau clywed dy fod ti wedi bod yn dawnsio ar fyrddau yn dy bans, dywedodd Gwen gan wenu.

-10-

ROEDD YR ARBENIGWR ar hanes yr Oesoedd Canol, Dafydd Rogers, yn gyrru nôl i'w gartref ym Mangor. Roedd yn poeni a fyddai'n cael ei dalu'r pum can punt y gofynnodd amdano am brofi dilysrwydd neu ddiffyg dilysrwydd llythyr Pennal. Byddai unrhyw un wedi gallu profi mai copi oedd y llythyr yn y cas, meddyliodd. Doedd dim angen ugain mlynedd o astudio hanes yr Oesoedd Canol i sylweddoli mai llofnod Daffy Duck oedd ar waelod y llythyr. O leiaf, meddyliodd, roedd e wedi cael treulio diwrnod cyfan yn Aberystwyth yn lle gwneud ymchwil ar dystiolaeth fod dynion yn ardal y Bala wedi cymryd geifr fel cariadon yn ystod cyfnod y Pla gan esbonio pam fod dynion o'r un ardal wedi dal i wneud hynny tan heddiw.

Na, roedd y Cynulliad yn talu am ugain mlynedd o brofiad a gawsai ers iddo raddio yng Ngholeg Aberystwyth yn 1987. Yna cofiodd Dafydd Rogers am y dyn a edrychai fel Llew Jones... er... nid Llew Jones oedd e... dywedodd wrtho'i hun. Ar y pryd ni wyddai mai'r tri pherson y cyfarfu â nhw yn y maes parcio'r prynhawn hwnnw oedd Gwylliaid Glyndŵr.

-11-

ROEDD JOHN LAZARUS, hefyd, yn synfyfyrio wrth iddo yrru ei gar tua thref. Roedd tipyn wedi digwydd ers iddo adael Gwesty'r Belle Vue y bore hwnnw. Chwarddodd wrth feddwl amdano'i hun yn mynd i dafarn ac yn yfed a dawnsio ar ben bwrdd a dangos ei bans.

Wrth gwrs, ni wyddai Gwen fod John wedi gwneud hynny unwaith, yn ystod parti Nadolig Adran Ddiogelwch y Llyfrgell Genedlaethol y flwyddyn cyn iddo golli ei swydd.

Dyna beth oedd noson a hanner, meddyliodd John Lazarus gan wenu. Roedd yr wyth aelod o'r Adran Ddiogelwch wedi yfed eu hunain yn sâl, ac roedd un ohonyn nhw wedi ffilmio'r noson ar fideo. Uchafbwynt y fideo oedd John Lazarus yn dawnsio ar ben y bwrdd yn ei bans i'r gân 'Stay With Me', gan The Faces.

Cyflwynodd bois yr adran gopi o'r fideo iddo pan adawodd y Llyfrgell wyth mis yn ddiweddarach. Roedd John wedi colli'r camaraderie a ddatblygodd rhyngddo ef a'r bechgyn. Sylweddolodd iddo adennill ei hunan-barch drwy weithio gyda Gwylliaid Glyndŵr a theimlai'n hapus am y tro cyntaf ers blynyddoedd.

Penderfynodd chwarae'r tâp fideo ohono'i hun yn dawnsio ar ben bwrdd yn ei bans wedi iddo gyrraedd adref y noson honno, a dathlu trwy yfed un gwydraid o win wrth wylio'r tâp.

-12-

CLYWODD LLEW, GWEN a Gruff injan y car yn sgrechian wrth iddo ddod i fyny'r wtra at dŷ Llew.

— Pwy sy 'na? gofynnodd Gwen yn bryderus gan feddwl mai'r heddlu oedd wedi cyrraedd i'w harestio.

— John, atebodd Gruff o'r ffenestr wrth weld John Lazarus yn parcio'r car a rhedeg at ddrws ffrynt y tŷ. Eiliad yn ddiweddarach roedd John yn cydio yng ngholer crys Gruff.

— Y blydi ffŵl! Gwnest ti godi'r casét anghywir. Rwyt ti wedi postio casét ohono i i'r Llyfrgell, gwaeddodd a'i lygaid yn pefrio. — Beth ry'n ni'n mynd i neud?... Mae hi ar ben arnon ni! gwaeddodd Lazarus yn wyllt.

Camodd Gwen ato a'i slapio'n galed ar ei wyneb.

Bum munud yn ddiweddarach roedd John wedi callio ac yn eistedd ar y soffa yn ceisio dadansoddi beth aeth o'i le'r prynhawn hwnnw.

— Roedd y caset blanc yn gorwedd ar glustog ar y llawr. Rwy'n credu iddo ddisgyn i'r llawr ar ôl i Gruff ymuno â fi wrth y peiriant fideo.

Nodiodd Gruff ei ben.

— A chodais i gasét arall, cytunodd Gruff.

— Does dim bai ar neb. Ond John, beth oedd ar y casét?

— Rwy i wedi edrych ymhobman, a'r unig gasét alla i mo'i ffeindio yw un... un ohona i'n dawnsio ar ben bwrdd yn 'y mhans!

Edrychodd Gwen ar Llew yn gorwedd ar y soffa â'i ddwylo dros ei ben. Dechreuodd riddfan yn isel. Teimlai Llew fod duwies ffawd ar fin rhoi pocer poeth i fyny ei din.

Rhan 5

-1-

EISTEDDAI GRUFF A John Lazarus mewn car ym maes parcio'r Llyfrgell Genedlaethol y bore canlynol.

— Dylet ti fod wedi edrych ar y casét y gwnes i ei roi i ti, dywedodd Gruff yn sarrug gan dynnu'n hir ar ei sigarét a fflicio'r llwch drwy'r ffenest.

— Do'n i ddim yn gwybod dy fod ti wedi bod mor lletchwith â gadael i'r casét 'na gwympo ar y llawr, atebodd Lazarus yn chwyrn, gan eistedd yn isel yn ei sedd rhag ofn i rywun a gerddai ar draws y maes parcio ei adnabod.

Bu'r ddau'n eistedd yn y car am hanner awr yn gwylio nifer o weithwyr y Llyfrgell yn parcio'u ceir cyn cerdded i'w gwaith. Ddeng munud ynghynt cawsant fraw pan welon nhw ddau gar yr heddlu'n parcio wrth brif fynedfa'r Llyfrgell. Ond, wrth i'r heddweision gamu i mewn i'r adeilad tybiodd Gruff, yn gywir, fod yr heddweision yno i holi aelodau'r staff am y lladrad y diwrnod cynt.

— Sai'n deall, Gruff, pam y gwnaethon ni gytuno i wneud hyn. Mae'n amlwg bod dy fêt Llew wedi rhoi ffurflen P45 i'w ymennydd ers blynyddoedd. Mae'r cynllun penchwiban hwn yn mynd i fod yn ffradach llwyr. Dylech chi fod wedi gwrando arna i.

— Faint o weithiau sy'n rhaid i mi ddweud wrthot ti, John. Ry'n ni'n defnyddio dulliau di-drais. Dim gynnau. Dim cyllyll. Dim batiau pêl-fas... esboniodd Gruff cyn i Lazarus ddechrau brolio am ei anturiaethau milwrol unwaith eto.

— Rwy'n cofio Major Pip Marjoribanks-Spiggott yn gosod ambwsh ar gyfer bois SWAPU yn yr Harare Veld yn Rhodesia yn 1977. Byddai wedi bod yn amen arnon ni petaen ni wedi defnyddio dulliau di-drais. Cyllyll ar draws eu gyddfau. Dyna'r ateb bob tro.

Cyn i Gruff gael cyfle i ateb ymsythodd y ddau. Roedd fan

y Post Brenhinol wedi stopio ger mynedfa gefn y Llyfrgell.

Stopiodd y postman, Wyn Griffiths, y fan. Cyflawnai'r un ddefod bob bore. Cerddai at gefn y fan, agor y drws, tynnu'r bag o lythyrau a phecynnau o gefn y fan, ac yna'i lusgo rownd y gornel at fynedfa ystafell bost y Llyfrgell.

Ond y bore hwn, wedi iddo dynnu'r bag post o gefn y fan trodd Wyn Griffiths i weld y Frenhines Elizabeth a Dug Caeredin yn sefyll o'i flaen.

— Rho'r bag i mi, dywedodd Gruff, oedd yn gwisgo masg wyneb Dug Caeredin. Roedd Llew wedi dod o hyd i'r masgiau yn ei atig y noson cynt wrth i'r pedwar drefnu cynllun i gipio'r llythyr cyn iddo gyrraedd dwylo'r awdurdodau.

— Na, wna i ddim, atebodd Wyn Griffiths gan ddal ei afael ar y bag.

— Beth mae'n 'i ddweud ar y fan, pal? gofynnodd Gruff.

— Ymmm... y Post Brenhinol, atebodd Wyn Griffiths.

— Cywir. A pwy yw hon? gofynnodd Gruff gan bwyntio at Lazarus, oedd yn gwisgo masg y Frenhines.

— Ymm... y Frenhines Elizabeth, atebodd Wyn Griffiths.

— Felly, hi sydd biau'r post. Bydd yn fachgen da a cer mewn i gefn y fan, dywedodd Gruff cyn cymryd y bag o ddwylo'r postman a'i wthio mewn i gefn y fan.

— Cyfra i bedwar cant cyn dechrau gweiddi am help, ychwanegodd. Ufuddhaodd Wyn Griffiths gan gamu i mewn i gefn y fan. Sylwodd Gruff fod allweddi'r fan yn hongian o glo'r drws cefn. Caeodd y drws a'i gloi. Brysiodd Gruff a Lazarus yn ôl i'r car roedd Gruff wedi'i ddwyn o faes parcio yn y dref awr ynghynt ar ôl gweld y perchennog yn ei adael i fynd i'w waith.

Tynnodd y ddau eu masgiau. Plygodd Gruff o dan y dashfwrdd a thanio injan y car cyn ei yrru yn ôl i'r maes parcio yn y dref lle trosglwyddon nhw gynnwys y bag post i gar Gruff a gyrru'n ôl i dŷ Llew.

Yn y cyfamser eisteddai Wyn Griffiths yng nghefn y fan yn meddwl am yr hyn oedd newydd ddigwydd iddo. Roedd dau ddyn wedi dwyn y Post Brenhinol heb iddo wneud dim i'w hatal. Ar ôl rhai eiliadau o synfyfyrio sylweddolodd y gallai elwa o'r sefyllfa. Gallai ddweud ei fod wedi ceisio ei orau glas i stopio'r ddau... ond eu bod wedi ei fwrw gyda phastynau. Dechreuodd fwrw ei ben yn erbyn ochr y fan. Ar ôl hanner munud o bwno teimlai'r gwaed yn llifo i lawr ei dalcen. Dechreuodd weiddi am help gan geisio cofio beth oedd rhifau ffôn Claims Direct a'r Wales Injury Network.

−2−

ROEDD GWEN WEDI mynd am dro o dŷ Llew. Eisteddai ar ben bryn yng nghanol mynyddoedd Pumlumon. Cododd ei phen a gweld barcud coch yn hedfan uwchben. Roedd yr olygfa yn ei hatgoffa o lun Gozzoli o daith y Magi i Fethlehem. Tynnodd Gwen ei ffôn symudol o boced ei throwsus a gwasgu'r botymau ddeg gwaith. Ymhen eiliad clywodd lais cyfarwydd.

— Defarge.

— 'Ych chi'n gallu siarad? gofynnodd Gwen yn Ffrangeg.

— Ydw.

— Beth yw'r cam nesaf?

— Aros yn nhŷ dy gariad am nawr, meddai Defarge gyda thinc sarcastig yn ei lais.

— Cyn-gariad, diolch yn fawr, atebodd Gwen yn chwyrn cyn clywed Defarge yn chwerthin.

— A yw'r dyn wnaeth adnabod Llew ym maes parcio'r Llyfrgell wedi cysylltu â'r heddlu? gofynnodd Gwen.

— Dim hyd yn hyn, ond fe fydd llun ffotoffit o'r tri ohonoch chi'n cael ei ryddhau i'r wasg heno.

— Ydy e'n un da?

— 'Se'n i'n Charles Aznavoure, Nana Moskouri a Gerard Depardieu, 'se'n i'n cachu fy hunan. Na, does dim byd 'da ti i boeni amdano.

— Ond beth os gwnaiff y dyn gysylltu â'r heddlu?

— Paid â phoeni. Fe wna i ddelio â'r broblem. Un peth arall, Gwen. Rwy'n cofio i ti ddweud y byddet ti'n trefnu alibi ar gyfer y tri ohonoch chi.

— Do, ond...

— Dwyt ti ddim wedi bod yn hollol onest gyda ni, Gwen. Dywedest ti mai dim ond tri ohonoch chi fyddai'n dwyn y llythyr, ond mae'n hollol amlwg eich bod wedi gorfod gweithio gydag o leia un person arall i greu'r alibi.

— Do, ond...

— Rwy angen gwybod pwy yw'r pedwerydd aelod, Gwen, er dy les di. Mi fydda i angen y llythyr ymhen diwrnod neu ddau, cyn gynted ag y bydda i wedi sicrhau na fyddwch chi'n cael eich arestio. Ffonia fi'r un amser, yfory. Cofia, bydda i angen gwybod pwy oedd y pedwerydd aelod!

Dechreuodd Gwen boeni pam fod Defarge mor frwd i ddarganfod enw John Lazarus wrth iddi gerdded yn ôl at dŷ Llew.

Bedwar mis ynghynt, fel yr esboniodd Gwen wrth Llew pan gyfarfu'r ddau ym Machynlleth, arestiwyd Gwen am geisio smyglo llun i mewn i Ffrainc heb dalu treth. Ond ni ddywedodd Gwen wrth Llew ei bod hi wedi cael ei thywys at Fabian Defarge, a awgrymodd fod modd iddi osgoi mynd i'r carchar drwy helpu Llywodraeth Ffrainc.

Pan ddangosodd Gwen ddiddordeb yn y cynnig aethpwyd â hi i gyfarfod â Michelle Giresse. Dywedodd Giresse wrthi fod Llythyr Pennal ar fin cael ei arddangos yn Llyfrgell Genedlaethol Cymru. Esboniodd mai swyddogaeth Gwen fyddai dwyn y llythyr a'i drosglwyddo i Defarge. Wedyn, byddai e'n sicrhau bod y llythyr yn cyrraedd Llysgenhadaeth Ffrainc yn Llundain cyn mynd yn ôl i Ffrainc yn yr ysgrepan ddiplomyddol.

Pan ofynnodd Gwen pam eu bod nhw wedi ei dewis hi i ddwyn y llythyr, esboniodd Giresse fod ei CV yn berffaith ar gyfer y dasg – yn enwedig am ei bod hi'n siarad Cymraeg. Ychwanegodd Defarge fod gan yr heddlu dystiolaeth ei bod hi wrthi'n smyglo lluniau gwerthfawr i mewn i Ffrainc ers amser maith.

— Ond beth os ca i fy nal yn dwyn y llythyr? gofynnodd Gwen.

Dywedodd Giresse y byddai Gwen yn debygol o fynd i'r carchar am o leiaf deng mlynedd am smyglo'r lluniau i mewn i Ffrainc, gan ychwanegu y byddai'n debygol o fynd i garchar ym Mhrydain am yr un cyfnod petai hi'n cael ei dal yn dwyn Llythyr Pennal.

— Felly. Does gennych chi ddim byd i'w golli, dywedodd Giresse wrthi.

Pan ofynnodd Gwen pam fod Llywodraeth Ffrainc eisiau dwyn eiddo eu gwlad eu hunain, gwenodd Giresse a Defarge ar ei gilydd.

Esboniodd Giresse fod Cynulliad Cymru yn pwyso ar Lywodraeth Ffrainc i ddychwelyd y llythyr i Gymru. Pwysleisiodd fod Llywodraeth Lloegr yn gwrthwynebu'r syniad rhag ofn y byddai dyfodiad y llythyr i Gymru'n tanio brwdfrydedd y Cymry i ddechrau brwydro am annibyniaeth.

Efallai, meddai Giresse, fod Llywodraeth Ffrainc a Llywodraeth Lloegr wedi penderfynu dwyn y llythyr er mwyn dwyn gwarth ar y Llyfrgell. Byddai hyn yn profi nad oedd sefydliadau Cymru'n addas i fod yng ngofal llythyr hanesyddol.

Esboniodd y byddai'r llythyr yn cael ei 'ddarganfod' yn

Ffrainc bythefnos ar ôl iddo gael ei ddwyn ac yn cael ei ddychwelyd i'w gartref yn yr Archif Genedlaethol. Gofynnodd Defarge a oedd Gwen yn adnabod unrhyw un yng Nghymru a fyddai'n gallu ei helpu i ddwyn y llythyr.

Atebodd Gwen y byddai un person, sef Llew, yn gallu ei helpu. Gwyddai mai Llythyr Pennal oedd ei Greal Sanctaidd. Ond ni wyddai a oedd e'n dal i fod yn genedlaetholwr brwd.

— Os aiff pethau'n ffradach byddai'n well gennyn ni mai Cymry fyddai'n cael eu harestio oherwydd byddai'n ei gwneud hi'n anos i awdurdodau Cymru gysylltu'r lladrad â Llywodraeth Ffrainc, dywedodd Defarge. — Hefyd, os gwnaiff y cynllun lwyddo, ar ôl i ti ddiflannu gyda'r llythyr, fydd dy ffrind di ddim yn debygol o fynd at yr heddlu i gwyno! Mi fydd e'n meddwl dy fod ti wedi gwerthu'r llythyr i un o dy gysylltiadau.

Ar ôl pwyso a mesur am ychydig cytunodd Gwen i helpu Llywodraeth Ffrainc yn gyfnewid am ei rhyddid. Lluniodd y tri chynllun i ddwyn y llythyr a chytunwyd y byddai Gwen yn cadw mewn cysylltiad â Defarge yn ddyddiol.

Gwyddai Gwen fod Llew yn dal i'w charu'r eiliad y cyfarfu ag ef ger cofgolofn Owain Glyndŵr ym Machynlleth. Yn ogystal roedd fflam cenedlaetholdeb yn dal i losgi'n danbaid yn ei lygaid. Ni theimlai Gwen unrhyw euogrwydd wrth fradychu Llew am yr eildro pan benderfynodd ofyn am ei help i ddwyn y llythyr. Roedd ei rhyddid yn bwysicach iddi na dim arall. Dyna pam y bradychodd hi Llew bymtheng mlynedd ynghynt. Dim ond un person oedd yn bwysig i Gwen Vaughan, a Gwen Vaughan oedd honno.

Ond wrth iddi gerdded yn araf yn ôl at dŷ Llew dechreuodd amau y byddai'r Ffrancwyr yn ei bradychu. Beth fyddai'n digwydd iddi hi wedi iddi drosglwyddo'r llythyr i'r Ffrancwyr? A pham fod Defarge mor awyddus iddi ddatgan pwy oedd pedwerydd aelod y gang? Efallai y byddai'n syniad da iddi fynd i Lundain i geisio gwerthu'r sêl wedi'r cwbwl. Os felly, pam na ddylai geisio gwerthu'r llythyr hefyd? meddyliodd. Ond wrth iddi gerdded i lawr y llechwedd dechreuodd ymladd gyda'i chydwybod. Beth bynnag a benderfynai, byddai'n bradychu Llew am yr eildro, meddyliodd cyn ceryddu ei hun am fod mor galon dyner. Pam yn y byd roedd hi'n poeni am Llew? Horwth mawr oedd yn bwdryn o'i goron i'w sawdl. Os felly, pam roedd hi'n gwenu bob tro roedd hi'n meddwl amdano? Na, byddai'n rhaid i Llew a'r ddau glown arall dynnu eu bara eu hunain o'r cawl, meddyliodd, ond heb lawer o arddeliad.

Cyrhaeddodd Gwen y tŷ. Agorodd y drws i weld degau o lythyron a pharseli wedi eu gwasgaru ar lawr yr ystafell fyw. Roedd Llew, Gruff a Lazarus ar eu pengliniau ynghanol y llythyron.

— Y Blydi Post Brenhinol! gwaeddodd Llew.

— Beth sy'n bod? gofynnodd Gwen.

— Dyw'r llythyr ddim wedi cyrraedd eto!

— Beth yn y byd ry'n ni'n mynd i wneud? holodd Lazarus.

Trodd Llew ei ben a gwenu'n awgrymog ar Gruff a Lazarus.

— Na, meddai Gruff.

— No way, Pedro, meddai Lazarus.

-3-

Pan ddaeth arbenigwr hanes yr Oesoedd Canol, Dafydd Rogers, adref o'i waith ym Mhrifysgol Bangor, fe'i croesawyd wrth ddrws y tŷ gan ei wraig, oedd ar fin gadael. Dywedodd fod yn rhaid iddi fynd â'r ddwy ferch, Mared a Llinos, i wers biano. Cusanodd Dafydd ei wraig ar ei boch cyn camu i mewn i'w dŷ ar gyrion Caernarfon.

Aeth i mewn i'r lolfa i wylio newyddion chwech ar

HTV, oedd, ym marn Dafydd, yn ysgafnach na rhaglenni hunanfodlon newyddion y BBC.

Ar y sgrin gwelodd luniau ffotoffit o'r tri lleidr wnaeth ddwyn llythyr Pennal. Roedd gwisgoedd a gwallt y tri yn atgoffa Dafydd o'r tri pherson a gyfarfu ym maes parcio'r Llyfrgell y diwrnod cynt.

— *The fat one looks a bit like you, Steve*, dywedodd y gyflwynwraig, Lucy Owen, wrth ei chyd-gyflwynydd, Steve Taylor.

— *And the short one with the moustache looks a bit like you*, meddai Steve yr un mor sbeitlyd wrth Lucy cyn rhoi rhif ffôn llinell gymorth yr heddlu i'r gwylwyr.

Camodd Dafydd Rogers draw at y ffôn a deialu'r rhif.

-4-

AM YR AIL fore'n olynol roedd Gruff a John Lazarus yn eistedd mewn car oedd wedi ei ddwyn, ym maes parcio Llyfrgell Genedlaethol Cymru.

Roedd Gruff yn chwerthin wrth i John Lazarus ddarllen erthygl ar dudalen flaen y *Cambrian News* a brynodd y bore hwnnw. Wrth ochr yr erthygl roedd llun o'r postman, Wyn Griffiths, yn edrych yn drist ac yn pwyntio ei fys at lygad ddu a chraith hir ar draws ei foch.

— Gwranda ar hyn... *they were huge...both about six foot four... I did my best to hang on to the bag but they started to beat me up...*

Chwarddodd Gruff gan gymeradwyo'r postman.

— Blah... Blah... Blah... gwranda ar hyn 'te. — *I do not deserve a bravery medal... I was only doing my job... but if I am nominated I would be very proud to receive it... blah blah blah... I won't let these thugs beat me... I will be back at work tomorrow rain or shine*, gorffennodd Lazarus gan daflu'r papur ar lawr.

— Ti a dy ddulliau di-drais. Pah...

— *Au contraire*, John. Mae'r heddlu yn edrych am ddau fabŵn yn hytrach na dau ddyn sydd yn llai na phum troedfedd a chwe modfedd mewn taldra.

Ar ôl i Wyn gyrraedd ei waith y bore hwnnw roedd ei reolwr wedi gofyn iddo a oedd e eisiau rhywun i deithio gydag e ar ei rownd y diwrnod hwnnw. Chwarddodd Wyn.

— Dyw'r un peth ddim yn debygol o ddigwydd eto! oedd ei ateb gan feddwl y byddai'n fwy tebygol o gael medal am ei ddewrder petai e'n mynnu gweithio.

Gwelodd Gruff a John Lazarus y fan bost yn cael ei pharcio yn yr un man â'r bore cynt. Camodd Wyn Griffiths o'r fan ac edrych o'i gwmpas. Ni welodd neb. Cerddodd at gefn y fan a chydio yn un o'r bagiau post.

— 'Ych chi eisiau help gyda'r bag 'na? gofynnodd Gruff.

Siglodd Wyn ei ben. Roedd e wedi cael ysgytiad ac roedd e'n meddwl ei fod yn clywed lleisiau. Trodd i weld Dug Caeredin a'r Frenhines yn syllu arno eto. Caeodd ei lygaid gan feddwl ei fod e'n dechrau drysu o ganlyniad i'w anafiadau. Ond pan agorodd e nhw roedd y ddau yn dal i sefyll o'i flaen.

— Swop? awgrymodd Gruff gan roi'r bag roedd y ddau wedi'i ddwyn y diwrnod cynt yn ôl yn y fan.

— Rwy'n sori... do'n i ddim yn meddwl dweud celwydd amdanoch chi... dechreuodd Wyn ymddiheuro'n nerfus.

— Cau dy geg. Rwyt ti'n gwybod beth i'w wneud, meddai Gruff.

Camodd Wyn i mewn i gefn y fan. Camodd Lazarus i mewn i gefn y fan hefyd a chau'r drws ar ei ôl. Cymerodd Gruff yr allwedd o gefn y fan cyn camu at sedd y gyrrwr a dechrau gyrru i ffwrdd o'r Llyfrgell.

-5-

CHWARDDODD GRUFF YN uchel wrth iddo yrru ei gar at dŷ Llew. Roedd wedi cyflawni bore da o waith ac roedd ei gynllun ef a Llew wedi gweithio'n wych.

Tra gyrrai Gruff y fan bost, eisteddai Wyn Griffiths yn y cefn, ei goesau wedi eu clymu gan Lazarus. Eisteddai Lazarus gyferbyn â'r postman yn dal pastwn, gan hanner gobeithio y byddai Wyn yn teimlo'n ddewr.

Roedd Lazarus wedi rhoi darn o bapur a phensil i'r postman a mynnu ei fod e'n ysgrifennu llythyr yn cyfaddef ei fod wedi gwneud niwed i'w hun y bore cynt. Yn y cyfamser, heb i Wyn ei weld, roedd Lazarus wedi dod o hyd i'r amlen yn cynnwys y tâp fideo yn y bag post a'i rhoi ym mhoced dde ei got. Tynnodd amlen arall o boced chwith ei got. Yn honno roedd y tâp fideo o ladrad llythyr Pennal – heb unrhyw gynnwys arall. Rhoddodd yr amlen honno yn y bag post cyn bwrw ochr y fan gyda'i bastwn i ddynodi ei fod wedi gorffen ei waith.

— Beth 'ych chi'n mynd i wneud gyda'r llythyr? gofynnodd Wyn Griffiths yn betrusgar.

— Os na ddywedi di air wrth neb am hyn wnawn ni ddim byd. Ond os gwnawn ni ddarganfod dy fod ti wedi agor dy geg fe wnawn ni anfon y llythyr hwn at yr heddlu.

Nodiodd Wyn ei ben wrth i'r fan stopio

— Iawn. Rwy'n cytuno.

— Reit. Cyfra i gant. Wedyn, cer â'r bag post yma'n ôl i'r Llyfrgell. Fe fydd allweddi'r fan yn yr *ignition*, gorffennodd Lazarus gan neidio o'r fan ac i mewn i gar Gruff a gyrrodd hwnnw ef yn araf allan o'r dre.

Cyfrifodd Wyn Griffiths hyd at ddau gant cyn camu o'r fan. Gyrrodd i'r Llyfrgell gan benderfynu chwilio am swydd arall cyn gynted â phosib.

Gyrrodd Gruff y car i dŷ John Lazarus a ffarwelio ag arwr Umbatu Gorge, cyn gyrru i dŷ Llew. Roedd Gruff yn teimlo mor hapus â chanibal oedd ar fin cael Dai Jones Llanilar i swper. Diflannodd ei wên pan welodd gar dieithr wedi ei barcio y tu allan i'r tŷ. Yn awr teimlai fel Dai Jones Llanilar ar fin cael ei fwyta gan ganibal. Roedd hi'n rhy hwyr iddo droi'n ôl a gyrru i ffwrdd. Byddai pwy bynnag oedd gyda Llew wedi ei weld, meddyliodd. Penderfynodd fod yn rhaid iddo wynebu pwy bynnag oedd yno.

Parciodd Gruff y car a phwyso ar draws y sedd flaen at y silff fenig. Tynnodd dei oddi yno a'i gwisgo gan geisio edrych fel rhywun oedd yn gwerthu ffenestri dwbl. Yna agorodd ei waled ac ysgrifennu rhywbeth ar gerdyn cyn rhoi'r cerdyn yn ôl yn ei waled. Cerddodd at y drws ffrynt. Cnociodd ar y drws.

−6−

AGORWYD Y DRWS.

— Helô, Mr Jones, gwnaethon ni siarad ar y ffôn... Mike Walker... O Astrolabe Astroseal double glazing, dywedodd Gruff yn uchel gan estyn ei law allan i ddyn tal, tenau, moel gan obeithio bod Llew yn gallu clywed yr hyn a ddywedai.

— Nid fi yw Mr Jones, atebodd y Prif Arolygydd Dyfed Williams, cyn symud i'r naill ochr i adael i Gruff ddod i mewn i'r tŷ. — Dewch i mewn, meddai.

Camodd Gruff i mewn i'r ystafell ffrynt a gweld Llew yn sefyll wrth y ffenest.

— Mr Jones? gofynnodd, gan gamu at Llew ac edrych yn daer ar ei wyneb wrth geisio dyfalu beth oedd yn digwydd.

— Helô... Mr... Mr...

— Walker, Mike Walker... gwnaethon ni siarad ar y ffôn tua wythnos yn ôl. Rwy'n cynrychioli Astrolabe Astroseal.

Cytunoch chi i gyfarfod â mi i drafod y posibilrwydd o roi ffenestri dwbl yn y tŷ, dywedodd Gruff gan agor ei waled.

— Dyma fy ngherdyn busnes. Ffenestri Dwbl. Hanner y Pris, chwarddodd Gruff gan bwyntio at y cerdyn. Edrychodd Llew ar y cerdyn. Roedd y geiriau 'Gwena os ydy popeth yn iawn' wedi eu hysgrifennu arno. Safodd Llew fel delw a rhoi'r cerdyn yn ei boced.

— O ie. Y dyn ffenestri dwbl, dywedodd. Cyn iddo ychwanegu gair camodd Fabian Defarge o'r gegin ac i mewn i'r ystafell ffrynt.

— Iesu Grist, gwaeddodd Gruff heb feddwl, wrth weld Defarge yn sefyll o'i flaen. Ceisiodd ddod at ei goed.

— Iesu Grist... y'ch chi wedi gweld stad eich ffenestri? Gwell i mi nôl y ffurflenni priodol o'r car, ychwanegodd gan geisio darganfod modd o ddianc o'r tŷ am ei fod yn argyhoeddedig ei fod ar fin cael ei arestio.

— Arhoswch yn fan'na, dywedodd Defarge yn Saesneg. Sythodd Gruff gan droi i'w wynebu. Ychwanegodd Defarge yn Saesneg eto,

— Ry'n ni ar fin gadael. Diolch yn fawr i chi am adael i mi ddefnyddio eich toiled, Mr Jones, dywedodd gan ymuno â Williams wrth y drws.

— Wrth gwrs, bydd yn rhaid i ni wneud ymholiadau ynglŷn â'ch datganiad... ond rwy'n siŵr y bydd popeth yn iawn, dywedodd Williams cyn gadael gyda Defarge.

Y bore hwnnw roedd y Prif Arolygydd Williams o'r farn y dylai'r heddlu anfon deg heddwas i dŷ Llew Jones i'w arestio a'i gludo i orsaf yr heddlu yn Aberystwyth a'i holi ynghylch ei symudiadau ar fore'r lladrad.

Roedd Dafydd Rogers wedi dweud wrth yr heddlu ei fod yn amau mai Llew Jones oedd y dyn a chwaraeodd ran Owain Glyndŵr yn lladrad llythyr Pennal. Roedd mwy fyth o amheuaeth cyn gynted ag y darganfu'r Prif Arolygydd

Williams fod Llew wedi bod yn y carchar am ddwyn, bymtheng mlynedd ynghynt.

Ond roedd Fabian Defarge o'r farn y dylai Williams bwyllo.

— Mae'n rhaid i ni fod yn garcus. Os byddwn ni'n anghywir fe all Jones ddwyn achos yn eich erbyn am ei gyhuddo ar gam, awgrymodd Defarge.

— Rwy'n meddwl y dylech chi a fi ymweld â'r Llew Jones 'ma, Mr Williams. Mi fydda i'n gwybod ai hwn yw'r dyn ry'n ni'n chwilio amdano'r eiliad y gwela i e, dywedodd Defarge.

Cytunodd Williams i ddilyn cynllun Defarge. Felly pan gamodd y ddau i mewn i dŷ Llew esboniodd y Prif Arolygydd Williams i rywun ddweud wrthynt fod Llew yn edrych yn debyg i un o'r lladron wnaeth ddwyn llythyr Pennal.

Yn syth ar ôl iddo ddweud hynny, edrychodd Williams ar Defarge. Siglodd hwnnw ei ben i ddynodi nad Llew oedd y dyn roedden nhw'n chwilio amdano.

Gofynnodd y Prif Arolygydd Williams a allai Llew brofi lle'r oedd e rhwng un ar ddeg o'r gloch a hanner dydd ddeuddydd ynghynt. Dywedodd Llew iddo fynd i'r dre i brynu dwy CD. Esboniodd ei fod e'n cadw pob derbynneb am ei fod yn hunangyflogedig. Cerddodd at ddrôr a thynnu'r dderbynneb am y ddwy CD a brynodd John Lazarus yn Woolworths iddo.

Yn ogystal, esboniodd ei fod wedi gyrru'n rhy gyflym drwy Benparcau ac roedd e bron yn siŵr iddo gael ei ddal ar gamera cyflymdra'r heddlu.

— Mae'n well i ni wneud ymchwiliadau ynglŷn â'i honiad am yrru'n rhy gyflym y bore hwnnw, dywedodd Williams wrth iddynt deithio yn ôl at orsaf yr heddlu.

— Yn hollol. Ond dwi'n sicr ei fod e'n dweud y gwir. Dyw e ddim yn debyg o gwbl i'r dyn wnaeth ddwyn Llythyr Pennal, dywedodd Defarge.

-7-

— BETH YN y byd ry'n ni'n mynd i neud? gwaeddodd Gruff gan wylio Defarge a Williams yn gadael. — A ble mae Gwen?

— Dwi ddim yn gwybod yw'r ateb i'r ddau gwestiwn rwy'n ofni, atebodd Llew gan daflu ei hun ar y soffa.

— Penderfynodd Gwen fynd am dro hir yn fuan ar ôl brecwast fel mae hi'n 'i neud bob bore a dwi ddim wedi'i gweld hi ers hynny.

— Diolch byth nad oedd hi o gwmpas. Meddylia beth fyddai wedi digwydd tase'r tri ohonon ni 'di bod yn yr un ystafell. Roedd e'n ddigon gwael bod y ddau ohonon ni 'ma, dywedodd Gruff.

Gyda hynny cerddodd Gwen trwy'r drws.

— Beth ddigwyddodd? Fe weles i Defarge a dyn arall yn dod at y drws, dywedodd Gwen gyda'i gwynt yn ei dwrn.

— Ble roeddet ti? gofynnodd Llew gan edrych yn graff arni.

— Ar ben y bryn. Beth oedden nhw moyn, Llew?

Esboniodd Llew bopeth wrth Gwen cyn gofyn i Gruff.

— Ydy'r fideo wedi cyrraedd y Llyfrgell?

— Ydy.

— Reit, mae'n rhaid i ni gymryd yn ganiataol bod Defarge wedi'n adnabod i... a thithau efallai, dywedodd Llew gan edrych ar Gruff.

— Ond, dechreuodd Gwen, a wyddai'n iawn fod ymweliad Defarge yn rhan o'i gynllun i sicrhau na fyddai Llew'n cael ei arestio. Gwyddai hyn am fod Defarge wedi ei ffonio'r bore hwnnw i ddweud wrthi am adael y tŷ cyn iddo ef a Williams alw i weld Llew.

— Ond, dim byd, Gwen. Bydd yn rhaid i ti, Gruff, symud i mewn i westy yn Aberystwyth ac aros yno nes ein bod ni'n cysylltu â ti... mae'n bosib nad oes tystiolaeth 'da'r heddlu.

Felly, mae'n well dy fod ti'n symud o fa'ma, yn enwedig yn awr gan fod Defarge a'r plismon arall yn meddwl dy fod ti'n werthwr ffenestri dwbl. Os clywi di fod Gwen a fi wedi cael ein harestio cer 'nôl i Fanceinion. Rwyt ti'n gwybod na ddwedwn ni ddim am dy ran di yn y lladrad ac rwy'n siŵr y gall dy ffrindiau dy helpu i osgoi cael dy arestio, dywedodd Llew gan roi ei law ar ysgwydd ei hen ffrind.

— Digon teg, meddai Gruff gan fynd i'r llofft i ddechrau pacio ei ddillad.

— Ble gwnei di aros? gofynnodd Gwen.

— Mae gen i syniad, atebodd Gruff gyda gwên yn dechrau lledu dros ei wyneb.

−8−

Eisteddai Alan White, Vincent Pyrs, Moelwyn Drake, Fabian Defarge a'r Prif Arolygydd Dyfed Williams mewn hanner cylch o gwmpas set deledu mewn ystafell yn adran ffilm a theledu'r Llyfrgell Genedlaethol.

Diffoddodd Williams y teledu ar ôl i'r pump wylio'r fideo yn dangos sut y cafodd Llythyr Pennal ei ladrata.

— Wel. Dyna beth oedd shambles llwyr, dywedodd Alan White gan rythu ar Vincent Pyrs a Moelwyn Drake. — Os anfonith y lladron gopi o'r ffilm hon i'r Wasg fe fyddwn ni'n destun sbort i bobl am fisoedd os nad blynyddoedd. Beth yn y byd roeddet ti'n 'i wneud Vincent? Pwy o't ti fod? Pantaloon?

— Y Canghellor Gruffudd Young, atebodd Vincent yn dawel.

— Wel, doedd y sanau melyn 'na ddim yn dy siwtio di o gwbl. Twt twt. A pham 'nest ti a Moelwyn gytuno i dynnu'r llythyr o'r cas arddangos? Roedd wyneb Alan White yn biws gan ddicter.

— Ei fai e oedd e, y Ffrancwr 'na, gwaeddodd Vincent Pyrs gan bwyntio at Defarge, fel plentyn yn cario clecs.

— Ydy hyn yn wir? Ai chi gytunodd i adael iddyn nhw ddefnyddio'r llythyr? gofynnodd Alan White i Defarge yn Saesneg.

Chwarddodd Defarge cyn ateb. — Nage, Monsieur White. Gofynnodd Monsieur Pyrs i mi a oeddwn i'n hapus gyda'r cynllun a dywedais innau y dylai e benderfynu.

— Celwydd noeth. Ei syniad fe oedd e, gwaeddodd Pyrs yn gelwyddog cyn troi at Moelwyn Drake. — Dyweda wrthyn nhw, Moelwyn.

— Mae Vincent yn dweud y gwir, meddai Moelwyn yn ddigalon, gan feddwl am John Lazarus druan, oherwydd hwn oedd yr eildro iddo gytuno i gefnogi Vincent Pyrs gyda'i gynlluniau celwyddog.

Edrychodd pawb ar Fabian Defarge. Rhoddodd hwnnw ei law chwith ym mhoced ei got a thynnu peiriant tâp sain allan, ei roi ar y bwrdd o'i flaen, a gwasgu'r botwm.

Clywodd pawb Charlotte Marat yn dweud yn Saesneg:

— Mae'n hanfodol ein bod ni'n ffilmio'r llythyr gwreiddiol. Efallai y gallech chi, Monsieur Pyrs, gymryd rhan y Canghellor Gruffudd Young a throsglwyddo'r llythyr i Glyndŵr.

Yna clywyd Vincent Pyrs yn dweud, — Wel... dwi ddim yn siŵr, cyn i Charlotte Marat holi:

— Beth 'ych chi'n meddwl o'r syniad, Monsieur Defarge?

Rhegodd Alan White o dan ei anadl pan glywodd Defarge yn dweud, — Monsieur Pyrs sy'n gyfrifol am y llythyr. Os yw e'n hapus, does dim gwrthwynebiad 'da fi...

Gwasgodd Defarge y botwm a stopiodd y tâp.

— Fuckadiddlyfuckfuck, meddai Vincent Pyrs.

Rhythodd Alan White ar Vincent Pyrs a Moelwyn Drake cyn siglo ei ben.

— Digwyddodd hyn ar ôl i Belwood ddwyn y mapiau o'r

Llyfrgell bum mlynedd yn ôl, Vincent. Rwy'n dechrau amau mai John Lazarus oedd yn dweud y gwir ac mai chi'ch ddau oedd yn rhaffu celwyddau pryn'ny 'fyd. Ta beth, mi drafodwn ni'r mater hwn eto. Y peth pwysig yw cael y llythyr yn ôl, gorffennodd gan edrych ar y Prif Arolygydd Williams.

— Mae'r fideo yn cadarnhau mai Gwylliaid Glyndŵr wnaeth ddwyn y llythyr, dywedodd hwnnw.

— A beth am eu gofynion? gofynnodd Alan White.

— Rwy i wedi cysylltu â fy meistri yn yr Adran Ddiwylliant a gallwn ddisgwyl eu penderfyniad rhywbryd yfory, atebodd Defarge.

— Oes unrhyw ddatblygiad ynglŷn â'r ymchwiliad? gofynnodd Moelwyn Drake yn sur.

— Mae'n edrych yn debygol mai gang o Ffrainc sydd wedi dwyn y llythyr, atebodd Williams. — Ry'n ni wedi cysylltu â'r porthladdoedd a'r meysydd awyr, meddai Williams.

— Da 'machgen i, meddyliodd Defarge gan gynnau Gitanes a chwythu'r mwg i gyfeiriad Vincent Pyrs a Moelwyn Drake a edrychai'n betrusgar ar Alan White.

-9-

GWASGODD GRUFF FOTWM ar ddesg derbynfa Gwesty'r Belle Vue. Camodd menyw o'r ystafell gefn a'i gyfarch.

— Helô, Miss Lomax, dywedodd Gruff wedi iddo ddarllen beth oedd enw'r rheolwraig ar ei bathodyn. Hon oedd y rheolwraig a wnaeth sylwadau awgrymog i Gwen ddeuddydd ynghynt.

— Rwy i angen ystafell am ddwy noson, i ddechrau, dywedodd Gruff gan sylwi ar gopi o'r *Cambrian News* yn gorwedd ar y bwrdd. Wrth i Miss Lomax ysgrifennu enw Gruff ar ffurflen dywedodd yntau:

— 'Ych chi wedi gweld hwn? Mae'n warthus bod postman yn cael ei drin fel hyn.

— Rwy'n cytuno, atebodd Miss Lomax cyn troi a chymryd allwedd ystafell 15 oedd yn hongian ar fachyn ar y wal y tu ôl iddi.

— 'Ych chi'n gwybod beth fydden i'n ei wneud petawn i'n cael gafael arnyn nhw? gofynnodd Gruff gan bwyso ymlaen at Miss Lomax.

— Na, atebodd hithau gan glosio at Gruff.

— Mi fyddwn i'n eu chwipio nhw. Ie eu chwipio nhw'n galed, galed, galed, nes bod eu crwyn cyn goched â phen-ôl mochyn, sibrydodd Gruff yn dyner yng nghlust y rheolwraig.

— Wwwwww, ebychodd Miss Lomax gan deimlo'i choesau'n crynu. Ond doedd Gruff ddim wedi gorffen.

— Mi fyddwn i'n eu chwipio â chwip hir nes eu bod yn sgrechian am faddeuant. Beth 'ych chi'n feddwl, Miss Lomax?

— Wwww. Gadewch i mi fynd â chi i'ch ystafell, dywedodd Miss Lomax cyn ffit ffatian i fyny'r grisiau'n gyflym.

— O leia ga i ychydig o bleser cyn i fi gael fy arestio, meddyliodd Gruff gan edrych ar ben-ôl Miss Lomax a meddwl sut y byddai hi'n dygymod â'r chwip roedd e newydd ei phrynu o'r siop hela a saethu.

–10–

GWTHIODD GWEN EI phlât i ffwrdd ac eistedd yn ôl yn ei chadair. Estynnodd am y botel o win coch a orweddai ymysg gweddillion y pryd Moule Mariniere a chaws Brie a Roquefort ar y bwrdd. Tywalltodd wydraid o win arall iddi hi ei hun cyn pwyso ymlaen a llenwi gwydryn Llew.

— Mae'n amlwg dy fod ti'n dipyn o arbenigwr ar fwyd

Ffrengig i allu coginio pryd fel'na, meddai Gwen.

— Pam wyt ti'n dweud 'ny? gofynnodd Llew.

— Am fod y bwyd yn fendigedig, Llew. Dim ond rhywun sy'n deall bwyd Ffrengig allai goginio'r fath wledd.

— Nonsens. Gruff yw'r Ffrancophile. Ei rysáit e yw hwn. Yr agosa dwi 'di bod i Ffrainc yw gwylio 'Allo 'Allo ar bnawn Sul.

— O leia rwyt ti wedi dysgu sut i goginio yn ystod y pymtheng mlynedd diwetha.

— Mae llawer o bethau'n gallu newid mewn pymtheng mlynedd. Mae rhywun sy'n rhydd yn cael llawer o brofiadau gwahanol, dywedodd Llew cyn cymryd dracht o'i win.

— Fel beth? gofynnodd Gwen.

— Wel, pan ddes i allan o'r carchar yn '94 yr unig ferched a ddangosodd unrhyw ddiddordeb yno' i oedd y rheiny oedd yn hoffi dynion drwg. Roedd y merched y dyliwn i fod wedi eu cyfarfod yn f'osgoi, felly gwnes i ddysgu llawer, dywedodd Llew gan wenu.

— Esbonia, dywedodd Gwen gan gymryd dracht hir o'r gwydryn.

— Wel, dwi ddim eisiau brolio ond ro'n i'n nabod sawl merch oedd â dychymyg... wel... tanbaid. Miranda, er enghraifft, roedd honno'n gallu gwneud y pethau rhyfeddaf gyda'i bysedd...

— Dwi ddim yn credu 'mod i eisiau clywed.

Ond roedd Llew yn ei elfen. Gwenodd yn slei wrth iddo sylweddoli fod ei gynllun yn gweithio. Y bore hwnnw, cyn i Defarge a Williams ymweld ag ef, roedd Llew wedi gwylio rhaglen *Trisha* ar Sianel 5. Testun y rhaglen oedd '*My partner is a Minger*'. Gwyliodd y rhaglen yn ofalus gan nodi sylwadau dwys y gyflwynwraig, Trisha Goddard. Yn ei barn hi roedd menywod yn colli diddordeb yn eu partneriaid am fod y dynion yn rhy swci. Yn ôl Trisha dylai dynion godi cenfigen yn eu partneriaid er mwyn sicrhau eu bod nhw'n dangos mwy o ddiddordeb ynddyn nhw.

—...Ie, Miranda oedd yr orau y bues i gyda hi. Sylwodd Llew fod Gwen yn gwgu arno.

— Roeddet ti wastad yn dweud mai fi oedd y gorau ac na fyddai neb yn cymharu â mi, awgrymodd Gwen yn amddiffynnol. — Oeddwn i?

— Fel rwyt ti'n dweud, ro'n i'n ifanc. Rwy'n synnu dy fod ti'n cofio, ta beth. Mi fyddwn i wedi dweud mai ti oedd y gorau, oherwydd dim ond gyda ti ro'n i wedi bod pryd 'ny. I fod yn onest – na, gwell i mi beidio dweud dim byd.

— Rwyt ti wedi dechrau nawr, hisiodd Gwen.

— I fod yn hollol onest 'da ti Gwen, roedd cael rhyw gyda ti fel shelffo sach o dato. Dim byd personol, ond roedd y ddau ohonon ni'n ifanc ac yn gwybod dim byd am ryw.

Yfodd Gwen weddill ei gwin mewn un dracht cyn tywallt gwydraid arall. — Nid ti oedd yr unig un a gafodd ei siomi, dywedodd yn chwyrn.

— Na?

— Na. Pan symudais i i Baris sylweddolais fod dynion Ffrainc yn gariadon gwych, llawer yn well na phawb arall.

— Wir?

— Wir. Roedd Phillippe yn gwneud y pethau rhyfeddaf... ac mi ddysgodd e gymaint i mi, dywedodd Gwen.

— Ond dwi ddim yn credu y byddet ti wedi gwella cymaint â hynny. Roeddet ti'n dechrau o safon mor isel fyddet ti byth yn gallu cyrraedd safon rhywun fel Miranda, dywedodd Llew â'i lygaid yn pefrio.

— Sut byddet ti'n gwybod? meddai Gwen gan godi ar ei thraed. — Cwyd ar dy draed, meddai gan gerdded draw at Llew a'i gusanu'n ffyrnig am eiliadau hir.

— Mmmm... eithaf da... ond dyw hynny'n profi dim...

Ond orffennodd Llew mo'i frawddeg gan i Gwen brofi bod ei bysedd hi'n fwy medrus na rhai Miranda hyd yn oed.

-11-

GORWEDDAI GWEN A Llew yn noeth ochr yn ochr yng ngwely Llew.

— 'Once is never and twice is always' maen nhw'n dweud, meddai Llew gan anadlu'n drwm.

— Beth am bedair gwaith? gofynnodd Gwen gan chwerthin.

— Ro't ti'n iawn. Rwyt ti wedi gwella'n arw, dywedodd Llew.

— A ti 'fyd. Buodd hi'n werth chweil i ti fynd gyda Miranda.

— Dwi ddim yn siŵr achos ges i ddos o'r clap... bues i'n cosi 'ngheilliau am wythnosau.

— Gormod o wybodaeth, dywedodd Gwen cyn troi ar ei hochr i edrych ar Llew.

— Am beth rwyt ti'n meddwl? gofynnodd Llew.

— Dim byd. *Je ne parlerai pas, je ne penserai rien, mais l'amour infini me montera dans l'âme...*

— Beth yn y byd wyt ti'n siarad amdano? gofynnodd Llew.

— Cerdd gan Arthur Rimbaud o'dd yn f'atgoffa o nawr.

— Beth yw ystyr y geiriau?

— 'Sdim ots. Rwyt ti'n ysu am sigarét, 'yn dwyt ti? atebodd Gwen gan geisio newid trywydd y sgwrs.

— Hmmm. Ydw.

— Am i ti fod yn fachgen da, fe gei di un y tro 'ma, dywedodd Gwen.

— Faint o'r gloch yw hi? gofynnodd Llew.

— Hanner awr wedi deg. Pam?

— Does dim ffags gen i yn y tŷ. Galla i yrru i'r dafarn i brynu pecyn, meddai gan godi o'r gwely a dechrau gwisgo.

— Paid â bod yn hir. Mi fydda i'n aros amdanat ti.

— Fydda i ddim mwy nag ugain munud, meddai, gan aros wrth ddrws yr ystafell wely ac edrych ar Gwen am amser hir.

— Paid â bod yn rhy hir neu bydd yn rhaid i mi roi chwip din i ti.

— *Promises, promises.* Rwy'n teimlo dros Miss Lomax yn colli ei chyfle echdoe, dywedodd Llew. Chwarddodd y ddau.

Ychydig a wyddent fod Miss Lomax yn mwynhau ei hun yn enfawr y funud honno wrth i Gruff ei sbancio'n ddidrugaredd yn ystafell 15, Gwesty'r Belle Vue.

Brysiodd Llew o'r ystafell a rhedeg i lawr y grisiau. Cododd Gwen o'r gwely, estyn am ei ffôn symudol a galw Defarge.

-12-

DENG MUNUD YN ddiweddarach gyrrodd Gwen ei char i lawr yr heol o dŷ Llew. Cyrhaeddodd y briffordd a throi i'r chwith gan ddilyn yr heol am Langurig a'r Canolbarth.

Roedd ei sgwrs ffôn â Defarge wedi peri cryn ofid iddi. Byddai'n rhaid iddi drosglwyddo llythyr Pennal iddo yfory, a byddai'n rhaid iddi ddweud wrtho pwy oedd pedwerydd aelod y Gwylliaid. Cytunodd Gwen cyn gwisgo'n gyflym a thynnu'r llythyr oedd y tu ôl i ddarlun Salem a dechrau ar ei thaith dros nos i Lundain i werthu'r llythyr i'w chysylltiad yno.

Ar ôl clywed llais milain Defarge ar y ffôn roedd hi'n argyhoeddedig y byddai ef a Giresse yn ei bradychu. Tybiai fod Defarge angen gwybod enw John Lazarus oherwydd ei fod e'n cynllunio i fradychu pob aelod o'r Gwylliaid. Efallai nad oedd hynny'n wir ond doedd hi ddim am aros i wybod a oedd ei damcaniaeth yn gywir ai peidio.

Wrth i Gwen yrru drwy ganolbarth Cymru ceryddodd ei hun am gysgu gyda Llew. Pam yn y byd roedd hi wedi bod yn genfigennus o'r merched y bu e'n cysgu gyda nhw? Ar ôl munudau hir o feddwl penderfynodd ei bod hi wedi cael rhyw gyda Llew oherwydd ei bod hi'n teimlo'n euog y byddai'n ei fradychu am yr eildro. Ie, dyna ni, *sympathy shag*, meddyliodd Gwen. Roedd hi wedi cymryd y llythyr yn gyfnewid am ei chorff. Roedd y ddau'n gyfartal.

Yna, cofiodd Gwen ddywediad o'r Beibl oedd yn gysylltiedig â llun Caravaggio – Thomas Anghrediniol. Llun roedd hi wedi ei smyglo i mewn i Ffrainc flwyddyn ynghynt. 'Mae pwyll yn gwneuthur llechgwn llwfr ohonom oll.' Doedd dim lle i gydwybod ym mywyd Gwen Vaughan. Byddai'n rhaid iddi anghofio am Llew. Gwen Vaughan, fel arfer, oedd yn dod yn gyntaf ym mywyd Gwen Vaughan.

Roedd Llew'n eistedd yn ei gar wedi ei barcio y tu ôl i lwyni wrth ochr yr heol pan welodd Gwen yn gyrru heibio iddo. Pwysodd ar draws y sedd flaen, agor y dashfwrdd a thynnu sigarét o baced a fu yno ers wythnos. Cyneuodd y sigarét a thynnu'n hir arni.

Ailadroddodd Llew ddyfyniad Gwen o gerdd Arthur Rimbaud, — *Je ne parlerai pas, je ne penserai rien, mais l'amour infini me montera dans l'âme.* Cyneuodd ei sigarét a chyfieithu'r cwpled — Ni ddywedaf air, ni feddyliaf am ddim ond bydd cariad tragwyddol yn llenwi fy enaid.

Cofiodd linell nesaf y gerdd — *Et j'irai loin, bien loin, comme un bohémien, par la nature...* Ac mi deithiaf ymhell, bell, fel sipsi ar draws y wlad...

— Ble wyt ti'n mynd, Sipsi Fach? dywedodd Llew yn isel cyn tynnu'n hir ar ei sigarét.

Rhan 6

-1-

EISTEDDAI GWEN MEWN sedd ledr foethus yng nghartref pied à terre Syr Charles Croker yn ardal Chelsea o Lundain.

Yn eistedd gyferbyn â Gwen roedd Syr Charles ei hun – dyn tal, tenau yn ei chwe degau hwyr â'i wallt melyngoch yn dechrau teneuo. Siaradai Syr Charles mewn acen Saesneg crand gyda thinc o acen Cockney a ddynodai ei gefndir dosbarth gweithiol.

Roedd Syr Charles yn aml-filiwnydd yn sgil ei ddawn i ddatblygu tiroedd yn Llundain. Ond roedd Gwen wedi clywed si bod Syr Charles wedi ariannu ei fenter fel datblygwr ar ôl trefnu lladrad o fariau aur, gwerth dwy filiwn o bunnoedd, o gwmni Fiat yn Turin yn 1969.

Roedd Gwen wedi dod i gysylltiad â Syr Charles am ei fod yn gasglwr dogfennau hanesyddol brwd, yn enwedig y rheiny gyda chysylltiadau Cymraeg.

Saith mlynedd yng nghynt cyflogodd Syr Charles hanesydd enwog – yr Athro Gareth Bwlchgwynt – i ddarganfod ei achau. Ar ôl chwe mis o waith darganfu'r hanesydd fod Syr Charles yn hanu o dras Gymraeg.

— *Bloody hell, Gaz! I haven't paid you ten grand to tell me that I'm a bloody Taff*, gwaeddodd Syr Charles pan welodd ffrwyth ymchwil yr hanesydd.

Ond cymerodd Syr Charles fwy o ddiddordeb pan ddywedodd yr hanesydd fod un o'i gyndeidiau, Pistol Croker, yn un o'r saethyddion a ymladdodd ar ran Brenin Harri'r Pumed ym mrwydr enwog Agincourt, yn 1415.

Hefyd, ymladdodd tad Pistol Croker, Fluellen Croker, gydag Owain Glyndŵr. Honnai'r hanesydd enwog hefyd fod Fluellen yn bresennol pan arwyddodd Glyndŵr Lythyr Pennal yn 1406.

— *Blimey, Gazza. I suppose if Cilla Black can be Welsh, then so can I,* dywedodd Syr Charles, a fu'n ddilornus o'r Cymry cyn hynny.

Felly, dechreuodd Syr Charles gasglu dogfennau a lluniau hanesyddol yn ymwneud â Chymru. Cysylltai Gwen ag e'n aml pan welai ddarnau o gelf Cymreig ar y farchnad pan oedd yn gweithio i Sotheby's.

— Wel, Gwen, mae'n bleser dy weld di, meddai Syr Charles yn Saesneg gan gyffwrdd yn ei sbectol, sbectol nodweddiadol o'r steil NHS a fu'n boblogaidd yn ystod y 60au.

Pwysodd Syr Charles ymlaen yn ei gadair gan edrych ar y llythyr ar y bwrdd rhyngddo ef a Gwen.

— Wrth gwrs, wna i ddim gofyn sut gest ti'r llythyr ysblennydd hwn... er dwi'n gwybod bod rhywun wedi ei ddwyn, meddai Syr Charles.

— Mae'r perchnogion newydd yn gofyn £700,000 am y llythyr, Syr Charles. Dyna'r pris y dylid yswirio'r llythyr, meddai Gwen.

— Galw fi'n Charlie. Charlie mae fy ffrindiau yn 'y ngalw i, dywedodd Syr Charles. — Hmmm... efallai fod y llythyr yn werth £700,000 ar y farchnad rydd ond mae'r ffaith bod y llythyr wedi cael ei ddwyn yn cymhlethu pethau. Pe bai rhywun yn darganfod mai fi bellach sy'n berchen ar y llythyr byddwn i'n ôl yn y carchar yn gyflymach nag y gallet ti ddweud, Dave, Dee, Dozy, Beaky, Mick a Titch.

— Rwy'n deall hynny, meddai Gwen.

— Gwna i roi dau gan mil i ti mewn *cash*, erbyn pump o'r gloch heno, awgrymodd Syr Charles gan wenu'n llanc i gyd ar Gwen.

— Mae gen i ddigon o gysylltiadau eraill a fyddai'n fodlon talu pris teg am y llythyr, dywedodd Gwen gan godi ar ei thraed a pharatoi i roi'r llythyr i gadw.

— Ond faint ohonyn nhw fyddai'n fodlon dy helpu di i hedfan o'r wlad gyda'r arian i ble bynnag rwyt ti moyn mynd erbyn chwech o'r gloch heno? gofynnodd Syr Charles.

Sythodd Gwen ei chorff.

— Mae gen i 'nghysylltiadau hefyd, Gwen, ac rwy'n clywed dy fod ti wedi bod yn ferch ddrwg ac yn addo can mil o bunnoedd i Lywodraeth Ffrainc.

— Beth am ddau gant a hanner am y llythyr, awgrymodd Gwen.

— Paid â bod yn blydi cheeky.

— Iawn. £200,000, meddai Gwen gan eistedd i lawr eto.

— Da iawn, Gwen. Rwyt ti wedi gwneud penderfyniad call iawn, ond mae'n rhaid i mi sicrhau un peth bach yn gyntaf, meddai Syr Charles gan wasgu botwm wrth ochr ei gadair.

Hanner munud yn ddiweddarach cerddodd dyn cefnsyth i mewn i'r ystafell.

— Ah! Camp Freddie. Fe alli di adael yr Athro Gareth Bwlchgwynt i mewn yn awr, dywedodd Syr Charles cyn troi at Gwen.

— Reit, fe alli di ddweud wrtho i sut y gwnest ti ddwyn y llythyr, dwi ddim wedi clywed yr holl fanylion.

−2−

Eisteddai Llew, Gruff a John Lazarus o gwmpas ford y gegin yn nhŷ Llew.

— Wyt ti'n siŵr nad yw'r heddlu yn gwylio'r lle 'ma? gofynnodd Gruff.

— Rwy'n hollol sicr. Cerddais i fyny'r bryn ac i lawr yr allt ben bore, atebodd Llew. Roedd wedi ffonio Gruff a Lazarus am saith o'r gloch y bore a mynnu bod y ddau'n cyfarfod ag e cyn gynted â phosib.

— Pryd aeth hi? gofynnodd Lazarus.

— Tua un ar ddeg o'r gloch neithiwr, atebodd Llew.

— A ble oeddet ti ar y pryd? gofynnodd Gruff.

— Dywedais wrthi 'mod i'n mynd i brynu sigaréts, atebodd Llew.

— Sigaréts! Ddywedest ti wrthi dy fod ti'n mynd i brynu sigaréts! meddai Gruff mewn syndod.

— Oeddet ti'n gall, ddyn! ebychodd Lazarus, gan sylwi fod Gruff yn gwenu o glust i glust.

— Post-coital? gofynnodd Gruff.

— Does dim ots am hynny yn awr. Rhoddais gyfle iddi ddwyn y llythyr a dyna'n gwmws beth wnaeth hi, dywedodd Llew.

— Yn gwmws fel y gwnes i rag-weld hefyd, meddai Gruff yn hunangyfiawn.

— Wyt ti'n gwybod ble mae hi? gofynnodd Lazarus.

— Na 'dw, ond dwi'n gwybod un peth, dywedodd Llew.

— Beth? gofynnodd y ddau arall.

— Mi ddaw hi'n ôl, dywedodd Llew gan wenu.

-3-

— PA GAR ddefnyddioch chi i ddianc? gofynnodd Syr Charles i Gwen.

— Vauxhall Vectra.

— Vauxhall Vectra!... Vauxhall Vectra!... Beth yn y byd sy'n bod â Mini Cooper, ferch, meddai Syr Charles wrth iddo glywed cnoc ar y drws. Eiliad yn ddiweddarach ymunodd yr Athro Gareth Bwlchgwynt â Gwen a Sir Charles. Roedd Gareth Bwlchgwynt yn un o haneswyr enwocaf Cymru, er iddo dreulio rhan helaeth o'i yrfa'n darlithio yn Rhydychen. Bellach, ac yntau yn ei saith degau cynnar, roedd e'n dal yn ddyn urddasol heblaw am y ffaith bod ei wallt melynwyn ar chwâl. Roedd llygaid yr hanesydd yn serennu pan welodd y llythyr ar y bwrdd. Edrychodd Gareth Bwlchgwynt yn syn arno am amser cyn dweud,

— Mae'n ddarn ysblennydd. Dichon mai hwn yw Llythyr Pennal y gwnaeth Owain Glyndŵr ei anfon at frenin Ffrainc yn 1406. Dichon fod y memrwn… dywedodd yr hanesydd cyn i Syr Charles dorri ar ei draws,

— Dwi ddim angen darlith hanes, Gazza, diolch. Ai hwn yw llythyr Pennal?

— Mae'n rhaid i mi ddweud, Syr Charles, fod eich agwedd yn llai nag adeiladol. Ond ysywaeth, i ateb eich cwestiwn… Cododd Gareth Bwlchgwynt ei ben a dweud, — Na, mae'n gopi ysblennydd, ond rwy'n argyhoeddedig mai copi yw e. Mae'r llythyr hwn yn rhy berffaith. Rwy i wedi gweld y llythyr gwreiddiol yn Archifdy Cenedlaethol Ffrainc yn 1984 a dyw hwn ddim yn edrych yn ddigon hen.

— Y bastard. Gwnaeth e gyfnewid y llythyr ag un arall, dywedodd Gwen gan feddwl am Llew yn chwerthin am ei phen.

— Siomedig iawn, Gwen, sibrydodd Syr Charles Croker.

— Ond fe alla i gael y llythyr gwreiddiol i chi, Syr Charles… erbyn yfory, dywedodd Gwen yn gyflym.

— Mae'n edrych yn debyg bod rhywun wedi dy dwyllo, Gwen. Siomedig iawn, Gwen, siomedig iawn, dywedodd Syr Charles yn benisel.

— Mae'n flin gen i, Charlie…

— Syr Charles!

— Sori, Syr Charles. Mi wna i gysylltu â chi cyn gynted â phosib, dywedodd Gwen gan adael yr ystafell.

Eiliadau wedi iddi adael gwasgodd Syr Charles y botwm wrth ochr ei gadair. — Chris, meddai. Dilyna'r fenyw sydd yn gadael y tŷ. Cysyllta â Tony a Dominic a a ffonia fi'n ôl ymhen dwy awr, dywedodd Syr Charles oedd yn ffurfio cynllun i berchnogi llythyr Pennal heb dalu ceiniog amdano.

-4-

ROEDD JOHN LAZARUS yn chwerthin yn uchel wedi i Llew esbonio nad Llythyr Pennal roedd Gwen wedi ei ddwyn.

— Gad i mi ddeall hyn yn iawn. Os yw hi wedi mynd â chopi o'r llythyr mae hynny'n meddwl bod gen ti gopi arall yn barod i'w gyfnewid am y llythyr gwreiddiol. Gwnest ti gyfnewid y ddau lythyr rhag ofn iddi ddwyn yr un gwreiddiol. Cywir?

Edrychodd Llew ar Gruff. Siglodd hwnnw ei ben.

— Does dim ots am hynny nawr, John. Y peth pwysig yw bydd Gwen yn sylweddoli nad llythyr Pennal sydd ganddi. A dwi'n hollol sicr y bydd hi'n dod 'nôl yma i gael y llythyr gwreiddiol. Ac os nad ydw i'n camgymryd fe fydd y bobl mae hi'n gweithio iddyn nhw'n dychwelyd gyda hi. Fydd y rheiny ddim yn bobl gyfeillgar iawn, dywedodd Llew.

— Ry'n ni'n argyhoeddiedig bod Gwen yn gweithio i Lywodraeth Ffrainc. Dy'n ni ddim yn gwybod pam roedden nhw am i ni ddwyn y llythyr ond mae'n amlwg eu bod nhw eisiau'r llythyr yn ôl, esboniodd Gruff.

— Ac yn amlwg dy'n nhw ddim eisiau i ni gael ein harestio achos ry'n ni'n siŵr bod Defarge yn rhan o'r cynllun a'i fod e'n gwybod mai ni wnaeth ddwyn y llythyr, esboniodd Llew.

— Beth 'ych chi'n feddwl? gofynnodd Lazarus gan edrych ar Llew ac yna ar Gruff.

— Mae'r sefyllfa'n eithaf difrifol, John. Mae'r bobl hyn angen y llythyr, maen nhw'n gwybod pwy ydyn ni, ond dydyn nhw ddim eisiau i ni gael ein harestio a chael ein holi gan yr heddlu, meddai Llew, cyn i Gruff ychwanegu,

— John... ry'n ni'n credu bod y Ffrancwyr yn bwriadu'n lladd ni.

— Blydi hel, meddai John Lazarus gan eistedd i lawr.

— Ond dyw'r sefyllfa ddim yn anobeithiol. Ry'n ni angen defnyddio dy brofiad milwrol di, John. Fe gei di ail-fyw

Umbatu Gorge unwaith eto, dywedodd Llew.

Doedd Lazarus ddim yn edrych yn hapus o gwbl wrth feddwl am y posibilrwydd o gael ei ladd.

— Byddwn ni fel Gwylliaid Glyndŵr, a amddiffynnodd gastell Aberystwyth yn 1407, ychwanegodd Llew.

— Ond syrthiodd castell Aberystwyth i'r Saeson, meddai Gruff.

— Ond chafodd Glyndŵr ddim unrhyw help gan Currys, Focus a Do-It-All, dywedodd Llew gan wincio ar y ddau.

–5–

CERDDODD GWEN Y deugain llath i'w char, a barciwyd ganddi ar stryd dawel yng nghanol Chelsea. Roedd hi ar fin tanio'r car pan glywodd lais cyfarwydd yn dod o gefn y car.

Trodd Gwen i weld Fabian Defarge yn gwenu arni.

— Ond, sut? holodd Gwen gan fethu yngan gair arall.

— Rhwydd. Mae'r teclyn tracio 'ma wedi eistedd o dan dy gar di ers i ti gyrraedd Prydain, dywedodd Defarge yn Ffrangeg gan ddal teclyn bychan yn ei law chwith. Sylwodd Gwen fod dyn arall yn gorwedd ar y sedd gefn wrth ochr Defarge.

— Pwy yw hwn? holodd Gwen gan edrych ar y dyn ifanc a gododd ei law chwith i siglo llaw.

— Marcel Fontaine, atebodd hwnnw cyn i Defarge gael cyfle i ymateb.

— Reit. Dilyna 'y nghyfarwyddiadau meddai Defarge.

Gwyrodd Gwen y car o'r llecyn parcio a gyrru i Lysgenhadaeth Ffrainc yng ngorllewin Llundain. Y tu ôl iddi roedd Mini Cooper. Yn y car hwnnw roedd Chris, Tony a Dominic.

Trodd Gwen y car at fynedfa'r Llysgenhadaeth. Dangosodd Defarge ei warant i'r heddwas a safai wrth y fynedfa a gyrrodd

Gwen y car i gefn yr adeilad. Ymhen dwy funud gwelodd Gwen Prif Was Sifil Gweinidog Diwylliant Ffrainc, Michelle Giresse, yn camu'n bwrpasol at y car gan ddweud rhywbeth wrth ddyn arall yn ei gwmni.

Eisteddodd Giresse yn sedd flaen y car tra aeth y llall i'r sedd ôl gan ymuno â Marcel Fontaine a Fabian Defarge.

— Pwy yw hwn? gofynnodd Giresse yn Ffrangeg.

— Pwy yw hwn? holodd y dyn arall yn Gymraeg.

— Hwn yw'r cyfieithydd wnest ti ofyn amdano, atebodd Defarge yn Ffrangeg.

— Hwn yw'r cyfieithydd wnest ti ofyn amdano, atebodd Marcel Fontaine, sef cyfieithydd Defarge, yn Gymraeg.

— Fe ddywedais i y byddwn i'n dod â'r cyfieithydd, y ffŵl, meddai Giresse yn Ffrangeg.

— Fe ddywedais i y byddwn i'n dod â'r cyfieithydd, y ffŵl, meddai cyfieithydd Giresse yn Gymraeg.

— Mae'n flin gen i, syr, dywedodd Defarge yn Ffrangeg

— Mae'n flin gen i, syr, dywedodd cyfieithydd Defarge yn Gymraeg.

— Cau dy geg! dywedodd Giresse wrth gyfieithydd Defarge yn Ffrangeg.

— Cau dy geg! dywedodd cyfieithydd Giresse wrth gyfieithydd Defarge yn Gymraeg.

— A ti fyd! dywedodd Giresse wrth ei gyfieithydd yn Ffrangeg.

— A fi fyd! dywedodd ei gyfieithydd yn Gymraeg cyn iddo sylweddoli ei gamgymeriad a dweud yn Gymraeg.

— Mae'n flin gen i.

— Mae'n flin gen i, dywedodd cyfieithydd Defarge yn Ffrangeg.

Pwysodd Giresse yn ôl yn ei sedd a rhoi ei ddwy law dros gegau'r ddau gyfieithydd.

— Shhhhh! Dwi ddim angen i chi gyfieithu ar y pryd. Rwy i angen i chi gyfieithu pob dim bydd y ddynes hon yn ei ddweud pan fydd hi'n siarad ar y ffôn, dywedodd Giresse cyn iddo droi at Gwen a gofyn iddi gamu o'r car.

Wrth i'r ddau gerdded o gwmpas gardd gyfagos dywedodd Giresse. – 'Yn dyw'r ardd 'ma'n hyfryd... mae'n fy atgoffa fi o lun Monet, *Le Jardin du Pont Neuf*. Wyt ti'n gyfarwydd â'r llun? Wrth gwrs dy fod ti, gwnest ti ei fewnforio fe'r llynedd heb dalu treth, dywedodd Giresse yn chwyrn wrth i'r ddau gydgerdded.

— Rwyt ti wedi bod yn ddynes ffôl iawn, Gwen, ychwanegodd Giresse cyn iddo blygu a chodi blodyn a'i ddal yn ei law. Caeodd ei ddwrn gan grychu petalau'r blodyn. — Mae bywyd mor fregus 'yn dyw e. Rwyt ti wedi torri ein cytundeb a dwi ddim yn hapus o gwbl. Gadawodd i betalau'r blodyn ddisgyn yn araf i'r llawr.

Gwyddai Gwen fod ei chynllun i fradychu'r Ffrancwyr ac achub ei chroen wedi bod yn fethiant llwyr. Roedd Llew wedi bod yn llawer mwy cyfrwys nag oedd hi wedi meddwl y gallai e fod. Roedd Llew wedi ei thwyllo, ac yn awr gwyddai Gwen y byddai'r ddau ohonyn nhw mewn twll. Gwenodd wrth sylweddoli ei bod hi'n edmygu Llew am y tro cyntaf ers iddi ei adnabod.

Aeth Gwen a Giresse i eistedd ar sedd wrth ochr llyn bychan yn yr ardd.

— Dwyt ti ddim wedi gwrando arnon ni, Gwen. Yn gyntaf, gwnest ti benderfynu dwyn y llythyr gan esgus eich bod chi'n Ffrancwyr, ar ôl i ni fynnu mai Cymry ddylai ddwyn y llythyr. Wedyn, gwrthodaist ti ddweud wrth Defarge pwy oedd y pedwerydd dyn a greodd eich alibis... ac yn olaf, wnest ti geisio dianc â'r llythyr a'i werthu i Syr Charles Croker, dywedodd Giresse wrthi'n dawel. Trodd Gwen ato.

— Mae'r llythyr yn un ffug, dywedodd.

— Beth? Sut wyt ti'n gwybod? gofynnodd Giresse yn wyllt.

— Gwnaeth arbenigwr Croker ddweud wrthon ni bore 'ma. Gwnaeth Llew Jones gyfnewid y llythyr hwn gyda'r un gwreiddiol, esboniodd Gwen heb iddi sylweddoli mor welw roedd wyneb Giresse.

— Gad i mi weld y llythyr, gofynnodd Giresse yn wyllt.

Tynnodd Gwen y llythyr o'i bag llaw a'i roi iddo.

Astudiodd Giresse y copi am rai eiliadau cyn rhoi'r llythyr yn ôl iddi. Wrth iddo wneud, meddyliodd Gwen iddi weld hanner gwên yn fflachio dros wyneb Giresse.

— Wrth gwrs, fe fydd yn rhaid i ti ddychwelyd i Gymru a dod o hyd i'r llythyr gwreiddiol, Gwen. Os gwnei di lwyddo i wneud hynny bydd ein cytundeb yn dal i fodoli. Bydd yn rhaid i ti drefnu cyfarfod â phawb oedd yn gysylltiedig â'r lladrad er mwyn sicrhau fod pawb yn deall y sefyllfa.

— Ond beth ydw i fod i ddweud wrthyn nhw? Maen nhw'n genedlaetholwyr. Fyddan nhw ddim yn fodlon rhoi'r llythyr 'nôl i mi os na fydd e'n cael ei ddychwelyd i Gymru am byth.

Ystyriodd Giresse y sefyllfa am eiliadau hir cyn dweud, — Fe alla i drefnu hynny. Gwna i siarad â'r Gweinidog ac fe wna i drefnu Cynhadledd i'r Wasg yma am bump o'r gloch y prynhawn 'ma. Bydd Llysgennad Ffrainc yn datgan bod Llywodraeth Ffrainc yn fodlon dychwelyd y llythyr i Gymru os gwnaiff Gwylliaid Glyndŵr ddychwelyd y llythyr i Lywodraeth Ffrainc ymhen 24 awr.

Cerddodd y ddau yn ôl at gar Gwen.

— Reit, gelli di ffonio dy ffrind, dywedodd Giresse wedi iddynt ddychwelyd i'r car. — Defnyddia'r set, dim dwylo.

Pan ganodd y ffôn roedd Llew'n dadlau'n ffyrnig gyda Gruff a John Lazarus ynglŷn â phwy ddylai dalu am y nwyddau roedden nhw'n mynd i'w prynu o Do-It-All.

—Helô, Gwen. Rwyt ti wedi cael dipyn o sioc 'sen i'n meddwl? awgrymodd Llew gan wincio ar Gruff a John.

— Paid â bod mor hy, y bastard... pryd wnest ti gyfnewid y ddau lythyr?

— Ro'n i'n meddwl y byddet ti o bawb yn gwerthfawrogi cyflymder 'y mysedd ar ôl beth ddigwyddodd neithiwr, atebodd Llew cyn clywed y ddau gyfieithydd yn sibrwd eu cyfieithiad o'r sgwrs.

— Oes rhywun arall gyda ti? gofynnodd Llew.

— Nag oes, neb, atebodd Gwen yn amddiffynnol gan godi ei bys at ei gwefusau i ddynodi y dylai'r ddau gyfieithydd sibrwd yn dawelach.

— Wel, Gwen, beth wyt ti'n moyn? Rwy'n brysur iawn ar hyn o bryd.

— Dwi'n methu â thrafod dim byd yn awr ond galla i ddweud wrthot ti y bydd Llywodraeth Ffrainc yn cytuno i roi Llythyr Pennal yn ôl i Gymru, os gwnei di roi'r llythyr i mi.

— Do'n i ddim yn sylweddoli bod gen ti ffrindiau mor bwysig, Gwen, dywedodd Llew a ddaliai i glywed pobl yn siarad yn y cefndir. Yna sylweddolodd fod rhywun yn cyfieithu'r sgwrs.

— Wrth gwrs... gallet ti fod wedi dweud hyn wrtha i neithiwr pan oeddet ti'n... dywedodd Llew cyn disgrifio'r rhyw nwydwyllt fwynhaodd e gyda hi'r noson cynt.

Edrychai Defarge a Giresse yn anghyffyrddus iawn wrth i'r ddau gyfieithydd sibrwd cyfieithiad o eiriau mochynnaidd Llew iddynt. Wedi dwy funud o ddisgrifio'r bustachu, dywedodd Llew.

— Pryd wyt ti eisiau cyfarfod?

— Heno, tua naw o'r gloch, a gwna'n siŵr bod pawb yno.

— Iawn. Gwell i ni gyfarfod yn 'y nhŷ i. Ta ta, Gwen.

Wedi i Gwen orffen y sgwrs dywedodd Giresse wrth y ddau gyfieithydd am fynd yn ôl at eu gwaith. Yna, trodd at Defarge,

— Alla i gael gair 'da ti Fabian? gofynnodd gan gamu o'r car.

Wedi i'r ddau gerdded yn ddigon pell o'r car, ac allan o glyw, dywedodd Giresse wrtho, — Cer yn ôl gyda hi. Mae'n rhaid i ti gael y llythyr oddi ar y tri arall. Yna, lladda nhw a gwna'n siŵr y bydd yr heddlu'n meddwl mai nhw wnaeth ladd ei gilydd. Fe rodda i ddau ddryll ychwanegol i ti cyn i ti ddychwelyd i Gymru.

— Dim problem. Felly ry'n ni'n mynd i weithredu'n cynllun gwreiddiol, dywedodd Defarge. Gwenodd ar Gwen wrth iddo ddychwelyd i'r car.

Wrth i'r car adael drwy fynedfa Llysgenhadaeth Ffrainc ni sylwodd Gwen na Defarge ar y Mini Cooper yn gwyro allan o gilfach gyfagos ac yn eu dilyn drwy draffig prysur Llundain.

−6−

WRTH I GWEN yrru ei char ar briffordd yr M4 o Lundain i Gaerdydd meddyliodd beth fyddai'n digwydd iddi hi, Llew, Gruff a John Lazarus wrth iddyn nhw gyfarfod unwaith eto â Defarge. Rhedodd ias oer i lawr ei chefn wrth iddi sylweddoli'r posibilrwydd, na, y tebygolrwydd y byddai Defarge yn eu lladd wedi iddo gael ei ddwylo ar lythyr Pennal.

Wedi iddyn nhw deithio am awr heb i'r naill na'r llall dorri gair â'i gilydd gwelodd Gwen fod Defarge yn cynnau sigarét.

— Allwch chi ddiffodd y sigarét 'na, os gwelwch yn dda? gofynnodd Gwen yn swta yn Ffrangeg.

Edrychodd Defarge yn syn arni a'i hanwybyddu. Dechreuodd gwaed Gwen ferwi wrth iddi feddwl am y lori sigaréts a laddodd ei thad. Ysai i wthio'r sigarét i lawr corn gwddwg Defarge ond gwyddai fod yn rhaid iddi bwyllo. Dechreuodd gynllunio sut i ddianc o grafangau'r dihiryn.

-7-

RHYW GAN LLATH y tu ôl i Gwen, gyrrai Dominic y Mini Cooper. Wrth ei ochr eisteddai Chris, a Tony yn y cefn.

Roedd y tri'n cadw llygaid barcud ar gar Gwen. Er hynny roedden nhw'n dadlau pa CD y dylai'r tri wrando arni.

— Mae blydi James Blunt wedi bod ymlaen ers dros awr, Dominic, cwynodd Chris.

— Ga i roi'r Basement Jaxx ymlaen? gofynnodd Chris.

— Na, atebodd Dominic.

— Beth am yr Arctic Monkeys 'te? awgrymodd Tony o'r cefn.

— Na, oedd ateb Dominic.

— Wil Young? awgrymodd Dominic.

— Piss off, Dominic, atebodd y ddau arall yn gytûn.

Yna canodd ffôn Chris.

— Helô, Charles... ie... ry'n ni newydd basio heibio Rhydychen... ie... OK... rwy'n deall, dywedodd Chris gan ddiffodd y ffôn.

— Beth ddywedodd e? gofynnodd Dominic.

— Mae e'n moyn i fi chwarae'r Basement Jaxx. Estynnodd Chris ei law at y peiriant CD.

-8-

ROEDD LLEW, GRUFF a John Lazarus wedi gwario dros ddau gan punt yn Focus, Do-It All, Curries ac yn Co-op y Ffermwyr. Safai'r tri o gwmpas y bagiau o nwyddau ar fwrdd y gegin yn nhŷ Llew. Edrychodd Llew ar ei wats. Hanner awr wedi dau.

— Reit, gwell i ni ddechrau ar ein gwaith, dywedodd yn awdurdodol.

— Cytuno'n llwyr, meddai Gruff gan roi dŵr yn y tegell.

Roedd hi'n chwarter i dri erbyn i'r tri orffen yfed eu te a bwyta eu Kit Kats.

— Reit... gwell i ni ddechrau gweithio, dywedodd Llew gan godi ar ei eistedd.

— Beth wyt ti'n moyn i ni wneud yn gynta, John? gofynnodd Llew gan dorchi ei lewys. — Pa gynllun fydd orau i oresgyn y Defarge 'ma? holodd Llew gan wincio ar Lazarus.

— Rhywbeth milain ar y naw os rwy'n nabod arwr Umbatu Gorge, Barimbi Cove a Harare Veld, meddai Gruff gan bwno John Lazarus yn chwareus ar ei ysgwydd.

Atebodd mo Lazarus. Eisteddodd yn fud yn ei sedd a chwarae gyda phapur lapio ei Kit Kat.

— Beth sy'n bod, John ? Dwyt ti ddim yn siŵr pa gynllun i'w ddewis, wyt ti? Gormod o syniadau cythreulig yn chwyrlïo y tu fewn i'r ymennydd anferth 'na, synnen i ddim, awgrymodd Llew.

Pesychodd John Lazarus cyn dweud,

— Dwi ddim wedi bod yn hollol onest gyda chi am fy nghefndir.

— Paid â dweud nad o't ti yn y fyddin? gofynnodd Gruff.

— O, oeddwn. Ymunais i yn Ionawr 1970 pan own i'n ddeunaw mlwydd oed. Ond prynais i ganiatâd i adael tri mis yn ddiweddarach pan benderfynodd Jim Callaghan, y penci, anfon y fyddin i mewn i Ogledd Iwerddon. Ro'n i wedi ymuno â'r fyddin i weld ychydig o'r byd nid i gael fy lladd ar strydoedd Londonderry neu Belfast, dywedodd Lazarus gan edrych ar Llew a Gruff am yn ail wrth siarad.

Gwenodd Gruff, cyn dweud, — Paid â phoeni. Rwy'n deall... fe wnest ti benderfynu bod yn filwr proffesiynol ac ymladd gyda Mad Mike Hoare a beth yw ei enw e?

— Major Pip Marjoribanks-Spiggott, dywedodd Lazarus yn dawel.

— Ie. Major Pip Marjoribanks-Spiggott yn yr Affrig yn ystod y 70au.

— Dim cweit.

— Beth mae 'dim cweit' yn 'i feddwl, John? gofynnodd Llew.

— Wel dim o gwbl. Gadawais i'r fyddin ac fe ges i waith fel gosodwr carpedi yn ardal Llanidloes lle gwnes i gyfarfod â'r wraig. Wedyn symudon ni i Telford. Roedd cyfleoedd i osodwyr carpedi yn llawer gwell fan'na ar y pryd.

— Felly does dim profiad milwrol gen ti o gwbl, awgrymodd Llew.

— Cywir, atebodd Lazarus yn ben isel.

— Ond sut ges ti swydd pennaeth yr Adran Ddiogelwch yn y Llyfrgell Genedlaethol? gofynnodd Gruff.

— Penderfynodd y wraig ei bod hi'n moyn dod yn ôl i'r ardal hon i fyw wyth mlynedd yn ôl. Roedd ei rhieni'n heneiddio a doedd dim plant 'da ni. Ond pan symudon ni 'nôl doedd dim swyddi deche ar gael heblaw am bennaeth yr adran ddiogelwch yn y Llyfrgell. Gwnaeth Major Marjoribanks-Spiggott gytuno bod yn ganolwr i fi.

— Sut oeddet ti'n 'i nabod e? gofynnodd Llew.

— Y wraig oedd yn 'i nabod e. Mae hi'n grefyddol iawn ac roedd hi'n gwneud tipyn o waith gwirfoddol i Fyddin yr Iachawdwriaeth. Roedd Pip Marjoribanks-Spiggott yn Gadfridog gyda'r Fyddin yn Telford a gofynnodd hi iddo fe fod yn ganolwr i fi. – Talon ni £500 iddo fe i ddweud 'mod i wedi cael gyrfa lwyddiannus yn y fyddin heb ddweud mai Byddin yr Iachawdwriaeth roedd e'n cyfeirio ati.

Edrychodd Llew ar Gruff.

— Beth ry'n ni'n mynd i neud, Gruff? gofynnodd Llew.

Camodd Gruff at y ffôn a deialu'n gyflym. Hanner munud yn ddiweddarach atebodd Malcolm Summerbee, cysylltiad amheus Gruff ym Manceinion, y ffôn.

— Malcolm. Mae gen i broblem ac rwy angen dy help di.

Beth fyddet ti'n neud petai rhywun yn dod i dy ladd di 'mhen pum awr?

— Beth wyt ti'n moyn neud â nhw? Eu harteithio neu eu dall gipio? gofynnodd yn ddiemosiwn.

— Ychydig o'r ddau.

— *Piece of piss.* Esbonia dy sefyllfa ac fe wna i roi'r cyfarwyddiadau i ti dros y ffôn, meddai Summerbee gan roi ei draed ar ei ddesg ac edrych drwy ffenest ei swyddfa i weld gweddillion car yn cael ei daflu ar ben tomen o geir. Gwenodd Malcolm gan wybod bod un o'i elynion, Terry 'The Bastard' McQueen wedi ei wasgu i'r un maint â bocs matsys y tu mewn i weddillion y car.

-9-

ROEDD GWEN A Defarge bron â chyrraedd pont Hafren pan drodd Gwen at Defarge, ac yntau'n smygu ei seithfed sigarét ar y daith.

— Alla i stopio yn yr orsaf betrol nesa? Rwy i bron â marw eisie pishad, meddai gan symud yn anesmwyth yn ei chadair.

Edrychodd Defarge yn syn arni am dipyn cyn cytuno.

Pum munud yn ddiweddarach gwyrodd Gwen y car oddi ar y draffordd ac i mewn i wasanaethau MOTO Bryste. Tynnodd Gwen ei gwregys diogelwch oddi amdani a throi i agor y drws ond cyn iddi gamu o'r car dywedodd Defarge wrthi, — Allweddi'r car, a'r ffôn symudol, os gweli di'n dda. Dwi ddim eisiau dim i fynd o'i le. Ti'n deall?

— Pam byddwn i'n gwneud unrhyw beth? Cytundeb yw cytundeb. Fe gewch chi'r llythyr ac fe ga i fy rhyddid. Mater bach fydd perswadio'r tri ffŵl 'na i roi'r llythyr i chi, dywedodd Gwen cyn trosglwyddo'i ffôn symudol ac allweddi'r car i Defarge.

Cerddodd y ddau drwy ddrysau'r adeilad cyn i Gwen gamu at doiledau'r merched.

— Fydda i ddim chwinciad, dywedodd gan wenu'n ffug ar Defarge.

— Arhosa i y tu allan, dywedodd yntau a gwylio pobl yn cerdded o gwmpas yr adeilad yn dal cwpanau plastig o goffi. Doedd Defarge ddim wedi sylwi fod dau ddyn wedi eu dilyn i mewn i'r adeilad. Pan welon nhw fod Gwen yn mynd i'r toiledau sibrydodd Chris yng nghlust Tony a cherddodd hwnnw'n bwrpasol allan o'r adeilad.

Yn y cyfamser roedd Gwen wedi ymolchi ei hwyneb. Teimlodd ym mhoced ei sgert. Gwenodd gan feddwl ei bod hi wedi twyllo Defarge. Roedd Gwen wastad yn cadw set o allweddi car sbâr. Aeth at wal gefn y toiledau. Ei chynllun oedd dringo drwy ffenest y toiledau a cherdded yn ôl i'r car a gyrru i ffwrdd. Erbyn i Defarge sylweddoli beth oedd wedi digwydd byddai hi wedi gyrru'r car i ganol Bryste a'i adael yno rhag ofn bod Defarge wedi rhoi cysylltydd tracio arall o dan y car. Byddai wedyn yn ffonio Llew ac esbonio ei chysylltiad gyda'r Ffrancwyr er mwyn trafod y cam nesaf. Roedd hi'n gobeithio bod Llew'n Gymro da ac y byddai'n fodlon rhoi trydydd cyfle iddi.

Ond pan oedd Gwen ar fin agor y ffenest cerddodd hen fenyw i mewn i'r toiledau a chamu'n araf at un o'r ciwbicls.

— Rwy i bron â byrstio, yfed gormod o de, meddai'r hen fenyw cyn diflannu i mewn i'r ciwbicl.

Doedd gan Gwen ddim amser i'w golli. Agorodd y ffenest. Dechreuodd ddringo drwyddi pan welodd Chris yn edrych arni y tu allan.

— Gobeithio'ch bod chi ddim yn ceisio dianc. Byddai Syr Charles yn siomedig iawn, meddai Chris yn Saesneg.

— Damo, meddai Gwen cyn penderfynu y dylai esbonio'i sefyllfa fregus i'r Sais.

— Edrych... mae aelod o heddlu Ffrainc yn aros amdana i y tu allan i'r toiled. Maen nhw'n moyn y llythyr hefyd. Mae e'n teithio gyda fi i dŷ yng Nghymru lle ry'n ni'n mynd i gyfarfod â gweddill y giang. Wnaiff e fynnu cael y llythyr... cyn 'yn lladd ni. Felly byddwn i'n ddiolchgar iawn petai Syr Charles yn gallu fy helpu i mewn unrhyw fodd, dywedodd Gwen, wrth iddi hanner hongian allan o'r ffenest.

Gwenodd Chris.

— Peidiwch â phoeni, ewch yn ôl at Inspector Clouseau. Fe wnawn ni eich dilyn chi i'r tŷ a galla i sicrhau na chaiff e ei ddwylo ar y llythyr na'ch lladd chi. Wedi'r cyfan, rwy'n siŵr y byddai'n well gennych chi'r swm o £200,000 yn hytrach na chael eich lladd, dywedodd Chris gan wenu'n gam. — Yn ôl â chi, meddai gan ei gwthio yn ôl i mewn i'r toiledau.

Yn y cyfamser roedd Defarge wedi dechrau anesmwytho wrth aros am Gwen. Dim ond un hen fenyw oedd wedi dilyn Gwen i mewn i'r toiledau bron bum munud yng nghynt.

Wrth i Defarge edrych ar ei wats gadawodd yr hen fenyw'r toiledau ac erbyn iddo godi ei ben roedd wedi cerdded heibio iddo'n bwrpasol. Doedd rhywbeth ddim yn iawn, meddyliodd. Cofiodd Defarge fod yr hen fenyw wedi cerdded i mewn i'r toiledau'n araf ond yn llawer cyflymach wrth adael. Roedd hi'n cerdded yn debycach i fenyw llawer yn iau. Gwenodd Defarge wrth iddo ddilyn y fenyw at ddrws y brif fynedfa. Camodd ati cyn cymryd ei braich a'i throi tuag ato.

— Ymgais dda, ond dim cweit yn ddigon da, Gwen, meddai Defarge gan gymryd braich y fenyw. Ond wrth iddo edrych ar ei hwyneb, sylweddolodd iddo wneud camgymeriad erchyll.

— Pwy 'ych chi? Gadewch i fi fynd, gwaeddodd y fenyw.

Wrth iddo ymddiheuro cododd ei ddwylo gan gyffwrdd ym mronnau'r fenyw.

— Y Perfert... Help... Perfert, bloeddiodd y fenyw.

Eiliad yn ddiweddarach ymgasglodd grŵp o bobl o

gwmpas y ddau.

— Gwnaeth e gyffwrdd yn 'y mronnau i, cwynodd y fenyw.

Galwyd am aelod o'r staff diogelwch a gwthiodd menyw drwy'r bobl.

— Andre... Andre... fan'na wyt ti, Andre, gwaeddodd Gwen gan afael ym mraich Defarge.

— Beth sy'n bod? gofynnodd Gwen yn syn.

Ailadroddodd y fenyw ei chyhuddiadau. Er mawr siom i bawb, dechreuodd Gwen chwerthin.

— Mae'n flin gen i, ond fe ddywedes wrth 'y ngŵr i aros amdana i y tu allan i'r toiled. Yn amlwg, clywodd e chi'n dod allan a meddyliodd mai fi oeddech chi.

— Ond dwi dim yn edrych ddim byd tebyg i chi...

— O!... dych chi ddim wedi sylweddoli. Mae 'ngŵr i'n ddall, gorffennodd Gwen cyn sibrwd y gair 'dall' yn Ffrangeg wrth Defarge.

— Dyw e ddim yn gallu gweld dim byd... nag wyt ti, cariad, dywedodd Gwen cyn codi ei braich a slapio Defarge yn galed ar ei wyneb.

— Naughty Boy, Andre. Dylet ti fod wedi aros amdana i, meddai cyn ei slapio'n galed unwaith eto.

Gwingodd Defarge ond ei unig ymateb oedd edrych yn syth o'i flaen.

Cerddodd y ddau drwy'r drws ond eiliad yn ddiweddarach roedd Defarge yn gorwedd ar y palmant wedi i Gwen ei faglu. Oherwydd ei fod yn esgus bod yn ddall gorweddai ar y llawr. Wrth i Gwen straffaglu i'w godi tynnodd ei daniwr sigaréts o'i boced a'i rhoi ym mhoced ei sgert.

— Fe wnei di dalu am hyn, y bitsh, meddai Defarge yn filain wrth iddynt gerdded at y car.

— Dim ond dechrau dial arnot ti am smygu yn 'y nghar i rydw i, y diawl, meddyliodd Gwen.

Eisteddai Chris, Tony a Dominic yn y Mini Cooper yn

gwylio Gwen a Defarge yn cerdded yn araf ar draws y maes parcio. Gwasgodd Chris fotwm ar ei ffôn symudol er mwyn siarad â Syr Charles Croker. Ailadroddodd Chris beth roedd Gwen wedi 'i ddweud wrtho.

— Blydi hel... mae hi yn y cachu. Reit, dilynwch nhw i'r tŷ... Arhoswch y tu allan i weld beth sy'n digwydd... Mae hyn yn biti oherwydd rwy'n hoffi Gwen, ond busnes yw busnes. Os caiff y Ffrancwr y llythyr gad iddo fe eu lladd nhw. Wedyn gallwch chi ei ladd e a chymryd y llythyr.

— OK, Charlie.

— Ac os gwnân nhw lwyddo i ladd y Ffrancwr, yna bydd yn rhaid i chi'u lladd nhw. Jest gwna'n siŵr dy fod ti'n cael y llythyr.

— OK, Charlie.

–10–

EISTEDDAI CENNAD FFRAINC, Alain Belmondo, a Swyddog y Wasg y tu ôl i fwrdd hir ym mhrif ystafell Llysgenhadaeth Ffrainc. O'u blaenau safai rhyw ugain aelod o'r wasg a dynion camera. Darllenodd Alain Belmondo ddatganiad roedd Michelle Giresse wedi ei baratoi, rhyw awr yng nghynt.

— Prynhawn da. Mae gen i ddatganiad byr ond ni fydda i'n ateb cwestiynau ar ôl i fi ei ddarllen, meddai Belmondo yn Ffrangeg cyn peswch ac edrych ar y datganiad.

— Fel y gwyddoch cafodd Llythyr Pennal ei ddwyn o Lyfrgell Genedlaethol Cymru dridiau yn ôl. Roedd Llywodraeth Ffrainc wedi penderfynu trosglwyddo perchnogaeth y llythyr i Gymru fis yn ôl. Heddiw, rydyn ni wedi arwyddo cytundeb â Gweinidog Diwylliant Cymru a fydd yn sicrhau bod y llythyr yn aros yng Nghymru ar ôl i'r arddangosfa yn y Llyfrgell Genedlaethol gau ar ddiwedd mis Mehefin. Wrth gwrs, cyd-ddigwyddiad llwyr yw'r ffaith bod hyn yn cyfateb i amodau'r lladron parthed dychwelyd y llythyr. Er hynny, rwy'n sicr felly y gwnaiff y lladron anfon y llythyr yn ôl atom yn fuan.

Gyda hynny cododd Alain Belmondo a Swyddog y Wasg o'u cadeiriau a gadael yr ystafell.

-11-

CLYWODD LLEW, GRUFF a John Lazarus y newyddion fod Llywodraeth Ffrainc wedi cytuno i ddychwelyd Llythyr Pennal i Gymru ar newyddion chwech, Radio Ceredigion. Ar y pryd roedd y tri'n bwyta brechdanau creision ac yn yfed paned o de.

— Wel, dyna ni, dywedodd John Lazarus gan godi o'i sedd, cydio yn ei got a dechrau ei gwisgo.

— Ble rwyt ti'n mynd? gofynnodd Gruff.

— Dy'n ni ddim yn mynd i anfon y llythyr at yr heddlu? gofynnodd Lazarus gan wenu ar y ddau.

— Eistedda i lawr, John. Dyw hi ddim mor syml â hynny, atebodd Llew'n dawel.

— Pam lai? Mae Gwen yn dod yma gyda blydi Robespierre. Mae e'n moyn y llythyr yn ôl... ac yn ôl chi'ch dau mae e am 'yn lladd ni. Dyna pam ry'n ni wedi trawsnewid y lle 'ma i edrych fel pencadlys y Stasi, dywedodd Lazarus.

— John... wyt ti wedi meddwl beth fydd yn digwydd i Gwen os gwnewn ni anfon y llythyr 'nôl nawr? gofynnodd Llew.

— Beth fydd yn digwydd i Gwen! Gwna'th hi dy fradychu di bymtheng mlynedd yn ôl a gwna'th hi'r un peth 'to. Mae'n hen bryd i ti sylweddoli nad wyt ti'n meddwl dim byd iddi, taranodd Gruff. Doedd e, na'r gweddill, ddim yn gwybod bod Gwen wedi ceisio gwerthu'r llythyr i Syr Charles Croker yn hytrach na'i drosglwyddo llythyr i Defarge.

— Ond mae'n rhaid i ni w'bod beth yw 'i chysylltiad hi gyda'r Ffrancwyr, Gruff, atebodd Llew.

— Dyweda i wrthot ti beth yw 'i chysylltiad gyda'r Ffrancwyr, Llew. Mae hi'n gweithio iddyn nhw. A'th hi â'r llythyr... darganfod 'i fod e'n un ffug... a phenderfynu dod yn ôl i ga'l y llythyr iawn cyn 'yn lladd ni, meddai Gruff yn chwyrn.

— Ond do'dd hi ddim yn sylweddoli 'i bod hi wedi mynd â llythyr ffug, Gruff. Cofia. Roedden ni'n amau 'i bod hi'n gweithio i'r Ffrancwyr o'r dechrau. Rwy'n erfyn arnot ti i ymddiried ynddo i, dywedodd Llew.

— Beth 'ych chi'n feddwl... eich bod chi'n amau 'i bod hi'n gweithio i'r Ffrancwyr o'r dechrau? gofynnodd Lazarus, wedi drysu'n llwyr.

— Gwell i ni ddweud wrtho fe, dywedodd Llew wrth Gruff.

Ar ôl i Llew esbonio pam ei fod e a Gruff wedi amau bod Gwen yn gweithio i'r Ffrancwyr, tynnodd John ei got o amdano ac eistedd unwaith eto.

— Myn diaen i. Mae honna'n well stori na Umbatu Gorge, Barimbi Cove a Harare Crag gyda'i gilydd, meddai Lazarus.

— Wel. Ydy'r ddau ohonoch chi'n fodlon aros gyda fi? gofynnodd Llew.

— Fe fydda hi'n braf gweld cynllun dy ffrind Summerbee yn gweithio, dywedodd Lazarus gan edrych ar Gruff.

— Iawn, dywedodd Gruff gan eistedd a bwyta'i frechdan creision.

— Y peth mwya trist am hyn i gyd yw pan fydd y crwner yn gwneud ei adroddiad yng nghwest Gruffudd Pritchard, bydd yn rhaid iddo ddweud mai'r peth olaf fwytaodd Gruffudd Pritchard cyn iddo gael ei saethu oedd Prawn Cocktail Crisp Sandwich. Dyna beth yw diweddglo sâl i fywyd sâl.

-12-

PAN GERDDODD GWEN a Fabian Defarge i mewn i dŷ Llew roedd Gruff yn sefyll yng nghefn y stafell wrth ymyl drws y gegin. Roedd John Lazarus yn eistedd y tu ôl i ford fechan yr ochr chwith i'r ystafell ac eisteddai Llew ar y soffa yn y canol.

— Helô, Gwen, dywedodd Llew, gan shifflo pac o gardiau. Dechreuodd Gwen gamu at Llew ond ataliwyd hi gan Defarge.

— Y bastard! Pryd gwnest ti gyfnewid y llythyron? gwaeddodd Gwen cyn i Defarge fynnu ei bod yn siarad Ffrangeg. Cafodd sioc pan atebodd Llew yn Ffrangeg.

— Gwnest ti benderfynu ein bradychu ni wrth i ti fynd â'r llythyr, Gwen. Gwnaethon ni gytuno mai dim ond y sêl byddet ti'n ei gael.

Safodd Gwen yn geg agored am eiliad cyn gofyn, — Ond sut rwyt ti'n gallu siarad Ffrangeg?

Gwenodd Llew cyn shifflad y cardiau unwaith eto.

— Fe wna i esbonio nes ymlaen, Gwen. Rwyt ti wir yn meddwl 'mod i wedi cyfnewid y llythyron 'yn dwyt ti, dywedodd Llew.

— Am beth wyt ti'n siarad? Wrth gwrs gwnest ti gyfnewid y llythyron.

Sylweddolodd Llew nad oedd Gwen yn deall gair roedd e newydd ei ddweud.

— Ble mae'r llythyr? gofynnodd Defarge yn swta gan anwybyddu sgwrs rhwng y ddau gyn-gariad.

— Mewn man diogel. Ond ddaethoch chi ddim yma i gael y llythyr, Defarge, dywedodd Llew.

— Wrth gwrs y gwnes i. Wnaethoch chi ddim gwrando ar y newyddion? Mae Llywodraeth Ffrainc wedi cytuno i ddychwelyd Llythyr Pennal i Gymru ac mae Mademoiselle Vaughan a fi wedi dod yma i'w dderbyn. Gwnaeth

Mademoiselle Vaughan daro cytundeb gyda ni. Cytunodd hi i ddwyn y llythyr pe na bai'n cael ei dedfrydu am geisio mewnforio darnau o gelf i'r wlad heb dalu treth. Diolch i chi'ch tri... mi wnaeth hi lwyddo. Ry'n ni'n ddiolchgar iawn... ond... y llythyr os gwelwch yn dda, Monsieur Jones.

Anwybyddodd Llew osodiad Defarge ac edrychodd ar Gwen.

— Ydy e'n wir dy fod ti'n gweithio iddyn nhw? gofynnodd Llew.

— Ydy, atebodd Gwen cyn esbonio iddi gytuno i ddwyn y llythyr er mwyn osgoi mynd i'r carchar am ddeng mlynedd.

— Ro'n i mewn mwy o helbul nag y cyfaddefais i ti, Llew. Roedd ganddyn nhw dystiolaeth i brofi 'mod i wedi mewnforio degau o ddarnau o gelf heb dalu treth arnynt. Ond ar ôl i ni ddwyn y llythyr dechreuodd Defarge fy mhoeni am enwau pawb oedd yn rhan o'r cynllun. Dechreuais amau y byddai'r Ffrancwyr yn torri'u haddewid a'n lladd ni i gyd ar ôl cael y llythyr. Ro'n i'n credu y byddai'r Ffrancwyr yn gadael llonydd i chi petawn i'n dwyn y llythyr a dianc. Felly, penderfynais fynd i Lundain i'w werthu.

Dechreuodd Gruff glapio yng nghefn yr ystafell.

— Diolch yn fawr i ti am feddwl amdanon ni, Gwen. Ond dwi ddim yn credu gair rwyt ti'n 'i ddweud, meddai Gruff yn chwyrn.

— Dwi ddim yn gwybod wyt ti'n dweud y gwir am hynny, Gwen. Ond rwyt ti'n dweud y gwir eu bod nhw bwriadu lladd pwy bynnag wnaeth ddwyn y llythyr, rhag ofn i rywun agor 'i geg, dywedodd Llew cyn troi at Defarge.

— Ydych chi'n chwarae cardiau, Monsieur Defarge?

— Wrth gwrs.

— Ydych chi wedi clywed am gêm gardiau o'r enw y Three Card Monty, neu Bonneteau fel ry'ch chi'r Ffrancwyr yn ei galw?

— Wrth gwrs. Mae'n hen gêm y byddai rafins yn arfer ei chwarae ar y strydoedd i dwyllo aelodau o'r cyhoedd.

Dechreuodd Llew shifflad y pac o gardiau cyn gosod tair carden a'u hwynebau ar i fyny ar fwrdd o flaen y soffa.

— Y Tri o Glybiau, y Pump o Diemwntau, a'r Queen o' Hearts, meddai Llew cyn troi'r tair carden wyneb i waered. Symudodd y tair carden yn gyflym o gwmpas y bwrdd.

— Nawr te, Monsieur Defarge. Ble mae'r Queen o' Hearts? gofynnodd Llew.

Pwyntiodd Defarge at y garden i'r chwith i law Llew. Cododd Llew'r garden i ddangos y tri o glybiau.

— Gwen. Ble mae'r Queen o' Hearts? gofynnodd Llew.

Pwyntiodd Gwen at y garden ar y dde i law Llew.

Cododd Llew'r garden a dangos y pump o diemwntau.

— Monsieur Defarge. Un cyfle arall. Ble mae'r Queen o' Hearts?

— Yn y canol wrth gwrs. Dim ond y garden honno sydd heb gael ei throi, meddai Defarge.

Trodd Llew'r garden i ddangos yr As o Sbêds.

— Ydych chi'n deall? Roedd Defarge yn meddwl fod y llythyr... mae'n flin gen i... y garden yn un man. Roedd Gwen yn meddwl ei fod mewn man arall, ac wedyn, roedd Defarge yn grediniol ei bod hi rhywle arall. Ond doedd y frenhines ddim yno o gwbl.

— Dwi ddim yn deall, meddai Gwen.

— Na fi, meddai Defarge.

Cododd Llew ar ei draed.

— Wrth gwrs. Ry'n ni i gyd yn sylweddoli bod Defarge wedi dod yma heno i'n lladd ni i gyd. Bydd yr heddlu'n darganfod ein cyrff rywbryd yn ystod y dyddiau nesaf. Pedwar lleidr wedi dadlau ymhlith ei gilydd ar ôl dwyn rhywbeth sydd yn werth lot o arian. Yr un hen stori. Lladdfa yn sgil ysfa farus un neu fwy aelod o'r giang. Byddai'r heddlu'n cymryd yn ganiataol bod un ohonyn nhw wedi cuddio'r llythyr mewn lle na fyddai neb yn ei ddarganfod byth wedyn.

— Wrth gwrs, roedd Defarge yn gwybod rhywbeth doeddet ti ddim yn gwybod, Gwen, sef... nad llythyr Pennal oedd y llythyr wnaethon ni ei ddwyn o'r Llyfrgell Genedlaethol.

— Beth? bloeddiodd Gwen gan edrych ar Defarge, a sefai fel delw gyda'i ddwy law ym mhocedi ei got.

— Mae dros ugain o luniau a llawysgrifau wedi eu dwyn o sefydliadau Ffrengig yn ystod y flwyddyn ddiwethaf, 'yn does, Monsieur Defarge? Mae'r Gweinidog Celf wedi bod o dan gryn bwysau a byddai un gyflafan arall wedi gorfodi'r Gweinidog, a phrif swyddogion yr Adran Ddiwylliant, i ymddiswyddo.

— Rwy'n tybio bod rhywun wedi dwyn Llythyr Pennal o'r Archif Genedlaethol ym Mharis ar ôl i Lywodraeth Ffrainc gytuno benthyca'r llythyr i'r Llyfrgell Genedlaethol. Petai'r Wasg yn gwybod am ladrad y llythyr byddai wedi bod yn amen ar y Gweinidog a'r prif weision sifil. Ond beth fyddai'n digwydd petai copi da o'r llythyr yn cael ei anfon i'r Llyfrgell Genedlaethol ac yn cael ei ddwyn cyn i neb brofi ei ddilysrwydd? Byddai sefydliadau Cymru yn cael y bai a fyddai neb yn gwybod i'r llythyr gael ei ddwyn cyn hynny. Pam y byddai Llywodraeth Ffrainc yn cytuno i roi'r llythyr i Gymru? Am fod y Llywodraeth yn gwybod na fyddai'r llythyr gwreiddiol yn cael ei ddychwelyd. Wrth gwrs ni fyddai pwy bynnag wnaeth ddwyn y llythyr gwreiddiol yn honni bod y llythyr wedi cael ei ddwyn o Baris yn hytrach nag Aberystwyth. Ydw i'n iawn, Monsieur Defarge?

— Damcaniaeth lwyr... dechreuodd Defarge yn chwyrn gan dynnu dryll o'i boced a gwthio Gwen draw at Llew ger y soffa.

— ...Ond yn syndod o agos at y gwir... yn enwedig y cyfeiriad am eich marwolaeth, ychwanegodd gan wenu'n gam.

— Se'n i'n meddwl ddwywaith cyn i chi wneud dim byd, Defarge, meddai Gwen. — Mae dynion Syr Charles Croker wedi ein dilyn ni o Lundain ac maen nhw'n aros y tu allan i'r drws, dywedodd yn orfoleddus.

Roedd Gwen yn hollol gywir. Roedd Chris, Tony a Dominic wedi dilyn y ddau i dŷ Llew. Parciwyd y Mini Cooper ychydig i lawr y lôn a chamodd y tri'n ddistaw at y tŷ ac at y drws ffrynt er mwyn gwrando ar y drafodaeth. Yn ffodus, roedd Chris yn medru ar ddigon o Ffrangeg i ddeall y rhan helaeth o'r drafodaeth.

— Dewch i mewn, bois, gwaeddodd Gwen yn uchel. Croesawyd ei gosodiad gan dawelwch.

— Cynnig da, Gwen, dywedodd Defarge.

— Ond dim yn ddigon da, meddai gan ryddhau clicied diogelwch ei ddryll.

— Ond d'yn ni ddim wedi gorffen y gêm, Monsieur Defarge, dywedodd Llew gan dynnu'r Queen o' Hearts o'i lawes chwith.

— Ych chi'n deall nawr, Monsieur Defarge? Roedd y Queen o' Hearts gen i drwy'r amser.

— Rwy i wedi cael digon ar 'ych gêmau chi, Monsieur Jones, dechreuodd Defarge gan godi ei ddryll cyn i Llew ymyrryd unwaith eto.

— 'Dych chi ddim yn deall, 'ych chi? Gadewch i mi esbonio. Mae gen i un peth arall i'w ddweud wrthoch chi wnaiff eich atal chi rhag ein lladd ni.

— Dwi ddim yn meddwl 'ny, meddai Defarge gan anelu'r dryll at ben Llew.

— Beth fyddech chi'n ei wneud pe byddwn i'n dweud 'mod i'n gwybod pwy wnaeth ddwyn llythyr Pennal o'r Archif Genedlaethol?

Dechreuodd Defarge chwerthin.

— Am hanner awr wedi naw ar fore'r seithfed o Hydref 2005, ychwanegodd Llew. Diflannodd y wên o wyneb Defarge.

— Ond sut ry'ch chi'n gwybod hynny?

— Am mai fi wnaeth ddwyn llythyr Pennal, Monsieur Defarge, dywedodd Gruff o gefn yr ystafell.

Rhan 7

-1-

RHODDODD FABIAN DEFARGE y glicied diogelwch 'nôl ar ei wn. Edrychodd Gwen yn syn ar Gruff. Gwenodd Gruff ar John Lazarus. Y tu allan i'r drws edrychodd Chris, Tony a Dominic ar ei gilydd gan awchu i glywed rhagor.

— Rwy'n credu mai eich meistri ddylai benderfynu a ddylech chi'n lladd ni ai peidio, yn enwedig gan fod y sefyllfa wedi newid rhywfaint, dywedodd Llew.

Teimlodd Defarge yn ei bocedi am ei daniwr sigaréts. A ddylai ffonio Giresse i ofyn iddo beth i'w wneud? Wrth iddo ystyried eisteddodd Llew ar y soffa.

— Fi a Gruff wnaeth ddwyn y llythyr. Wrth gwrs ry'ch chi'n gwybod sut y gwnaethon ni gyflawni'r lladrad, dywedodd Llew.

— Ond dwi ddim yn gwybod, meddai Gwen gan eistedd wrth ochr Llew.

— Doedd 'da ni'n dau ddim byd i'w golli. Roedd Gruff wedi diflasu ar ei fywyd ym Manceinion ac ro'n innau newydd gladdu 'nhad. Doedd gen i ddim teulu na fawr o ddyfodol chwaith. — Roeddet ti, Gwen, yn llygad dy le pan ddywedaist ti wrtha i nad oedd gen i ddim i'w golli wrth geisio dwyn y llythyr. Wyt ti'n cofio?

— Ydw. Roedden ni ym Mhennal.

— Yr unig broblem, Gwen, oedd dy fod ti bedwar mis yn rhy hwyr. Ro'n i'n amau dy fod ti'n gweithio i Lywodraeth Ffrainc o'r dechrau. Ond ro'n i'n meddwl dy fod ti'n ceisio dinoethi fi a Gruff am ddwyn y llythyr o Baris.

— Pe bawn i wedi gwrthod dy helpu di i ddwyn y llythyr o'r Llyfrgell mi fyddet ti wedi amau mai ni oedd wedi dwyn y llythyr o Baris. Wrth gwrs, rwy'n deall nawr nad oeddet ti'n gwybod dim am y lladrad. I ddweud y gwir ro'n i'n falch pan est ti â'r llythyr i Lundain. Profodd hynny dy fod ti'n meddwl mai'r llythyr hwnnw oedd yr un gwreiddiol.

— Beth alla i ddweud, Llew? dywedodd Gwen gan edrych yn drist arno.

— Paid â phoeni. Mae Cymraes yn haeddu tri chynnig hefyd.

— Ond sut y gwnaethoch chi ddwyn y llythyr? gofynnodd Gwen.

— Llythyr Pennal yw Greal Sanctaidd pob cenedlaetholwr. Mae'n cynrychioli'r freuddwyd o annibyniaeth sydd yng nghalon pob Cymro. Penderfynodd Gruff a finnau ddwyn y llythyr yn ystod noson feddw ym Manceinion yn fuan ar ôl i Dad farw. Cynllun pathetig dau ddyn yn ceisio ailgydio yn eu hieuenctid. Cymerodd hi flwyddyn i fi ddysgu Ffrangeg gyda help Gruff i'r safon a fyddai'n darbwyllo rhywun 'mod i'n Ffrancwr. Roedd hi'n hollbwysig bod yr awdurdodau'n meddwl mai dau Ffrancwr a ddygodd y llythyr oherwydd roedd hynny yn ein galluogi i fynd â'r llythyr drwy'r tollau heb unrhyw ffwdan.

— A dyna pam bod dy Ffrangeg di mor dda pan wnest ti wadu mai Llew Jones oeddet ti wrth y dyn wnaeth dy adnabod y tu allan i'r Llyfrgell... a dyna pam dy fod ti'n gwybod sut i goginio pryd Ffrengig ardderchog, meddai Gwen.

— Cywir. Ro'n i bron â chyfaddef mai ni wnaeth ddwyn y llythyr pan o't ti'n fy eillio i'r noson wedi'r lladrad.

— Ond... ro'n i'n meddwl dy fod ti ar fin dweud dy fod ti'n dal i 'ngharu i.

Hmm, oedd ymateb Llew cyn dyfynnu gwaith Rimbaud.

— *Je ne parlerai pas, je ne penserai rien...*

— Y bastard, dywedodd Gwen yn isel wrth Llew.

Trodd Llew at y Ffrancwr yn eu mysg a dweud, — Monsieur Defarge. Mae rhaid i fi ddweud bod dwyn Llythyr Pennal o'r Archif Genedlaethol yn haws na'i ddwyn o'r Llyfrgell Genedlaethol, a doedden ni ddim angen eich help chi chwaith, dywedodd Llew. Roedd y llythyr yn cael ei gadw mewn amlen gardbord mewn cwpwrdd ffeilio ar drydydd llawr yr adeilad. Ar ôl i fi gyflwyno fy hunan fel gŵr academaidd o Rouen cefais 'y nhywys at y llythyr i'w astudio. Sylwais na châi ei gadw dan glo yn y cwpwrdd ffeilio. Mater bach oedd hi i mi a Gruff fynychu'r bwytai cyfagos lle âi gweithwyr yr Archif Genedlaethol am fwyd a diod ar ôl gwaith. Llwyddodd Gruff i ddwyn pas un o'r gweithwyr un noson. Y bore wedyn cerddodd i mewn i'r Archif Genedlaethol yr un pryd â'r staff a rhoi'r cerdyn mynediad yn y teclyn gwarchod cyn esgyn i'r trydydd llawr. Dilynodd fy nghyfarwyddiadau a dod o hyd i'r llythyr yn y cwpwrdd ffeil. Tynnodd ef allan, ei roi mewn poced gudd yn ei got a chamu o'r adeilad chwarter awr yn ddiweddarach, meddai Llew gyda Defarge yn rhythu arno.

— Ble mae'r llythyr nawr? gofynnodd Defarge yn swta.

— Ych chi'n disgwyl i mi ddweud wrthoch chi? Cymru sydd biau'r llythyr nid Ffrainc, atebodd Llew'n chwyrn.

Wrth i Llew siarad bu Defarge yn pendroni beth ddylai wneud.

—Ry'ch chi'n gyfrwys iawn... ond dwi ddim angen y llythyr... os gwna i'ch lladd chi, chaiff y llythyr ddim ei ddarganfod. Ond does dim ots am hynny. Y peth pwysig yw bod pobl yn meddwl bod y llythyr wedi ei ddwyn yng Nghymru, dywedodd Defarge cyn rhoi sigarét yn ei geg a theimlo yn ei bocedi am y taniwr sigaréts.

— Ydych chi'n chwilio am hwn? gofynnodd Gwen gan ei dynnu o boced ei sgert. Fe gymres i fe oddi arnoch chi pan oedden ni yn yr orsaf betrol. Cododd ar ei thraed, cymryd cam tuag at Defarge a thaflu'r taniwr ato.

Wrth i Defarge roi ei sylw i'w ddal, neidiodd Gwen tuag ato a'i wthio. Cwympodd y gwn o'i law. Eiliad yn ddiweddarach camodd Llew ato a chodi'r gwn tra oedd Gwen yn ei slapio yn ei wyneb.

— Dywedais i wrthot ti am beidio smygu ond wnest ti ddim

gwrando arna i, naddo, gwaeddodd ar Defarge. Erbyn hyn aeth Gruff a John Lazarus atynt a chlymodd Gruff freichiau'r Ffrancwr gyda gwifren roedd e wedi'i chymryd oddi ar gyfrifiadur Llew.

Aeth Llew i gefn y tŷ a dychwelyd gyda rhaff i glymu coesau Defarge wrth ei gilydd. Wedyn, cymerodd waled a ffôn Defarge o boced ei got cyn darganfod paced o sigaréts a dau ddryll arall.

— Byddai wedi ein saethu ni gan ddefnyddio drylliau gwahanol a'u gadael fan hyn i dwyllo'r heddlu ein bod ni wedi saethu'n gilydd, awgrymodd Llew.

— Da iawn, Gwen, dywedodd John Lazarus. — Ond piti nad oedden ni wedi defnyddio fy...

Ymddangosodd tri dyn wrth y drws ffrynt, pob un â gwn yn ei law – Chris, Tony, a Dominic.

— Rhowch y gynnau i lawr a chamwch am yn ôl, dywedodd Chris yn Saesneg.

-2-

— Y DIAWLED. Roeddech chi'n sefyll y tu allan drwy'r amser a byddech chi wedi gadael iddo'n lladd ni, sgyrnygodd Gwen ar y tri Sais.

— Pwy ddiawl yw'r rhain? holodd Llew Gwen wrth osod y gynnau ar y llawr.

— Fy enw i yw Chris a dyma Tony a Dominic... ry'n ni'n gweithio i Syr Charles Croker, sydd wedi cytuno i brynu'r llythyr oddi ar Gwen am gant a hanner, dywedodd Chris.

— Cytunon ni ar bris o £200,000, meddai Gwen.

— Rwy'n ofni bod y pris wedi gostwng. Cant a hanner o bunnoedd yw cynnig newydd Syr Charles. *Deal or no deal*? meddai Chris yn sarcastig. Nodiodd Tony ei ben cyn i

Dominic ddweud,

— 'Se'n i'n cymryd y cynnig, ond wedi dweud hynny, chi sy'n chwarae'r gêm.

— Wel, gallwch chi ddweud wrth Syr Charles Croker nad yw'r llythyr, fel Cymru, ar werth. *No Deal*, atebodd Llew yn chwyrn.

Dechreuodd John Lazarus glapio cyn iddo sylweddoli ei fod mewn sefyllfa gythryblus ar y naw.

— Twt twt, Taffy... Ble mae'r llythyr? meddai Chris. Nid atebodd Llew.

— Ry'n ni'n gwybod eich bod chi'n gwybod ble mae'r llythyr ond allwn ni gael gwared â'r tri arall. Pa un sydd gynta, Tony? gofynnodd Chris.

— My blue ship sailing on the water like a cup and saucer my mummy says it might be you but I think it must be *you*, dywedodd Tony gan bwyntio ei fys at Gwen, Gruff a John Lazarus am yn ail wrth iddo adrodd yr hwiangerdd gan bwyntio'n olaf at Lazarus.

Sythodd Lazarus, oedd erbyn hyn wedi llwyddo i eistedd y tu ôl i'r bwrdd unwaith eto.

— Dewis da, Tony... dyw e ddim yn edrych fel bod ganddo lawer o amser ar ôl ta beth... dywedodd Chris.

— Beth yw eich enw chi, Taid? gofynnodd Chris.

— John Lazarus, meddai John.

— John Lazarus, you are the Weakest Link, goodbye... meddai Chris gan godi ei wn.

— Na! gwaeddodd Lazarus, — ... rwy'n gwybod ble mae'r llythyr.

— Oh! Super, meddai Dominic.

— Ble mae e, Taid? gofynnodd Chris yn chwyrn.

— Paid â dweud wrtho fe'r bradwr, gwaeddodd Gruff.

— Y tu ôl i'r llun... llun Salem, dywedodd Lazarus gan bwyntio at y llun ar y wal dair llathen o ble y safai Chris.

— Bastard, gwaeddodd Gruff.

— Da iawn, Taid, dywedodd Chris gan gamu at y llun. Rhoddodd ei wn ym mhoced ei got cyn codi ei ddwylo i dynnu'r llun oddi ar y wal. Roedd y llun wedi'i osod mewn cas metel. Yn rhy hwyr, sylwodd Chris fod gwifren denau yn rhedeg i fyny'r wal ac wedi ei chysylltu â'r llun. Gwasgodd Lazarus y botwm o dan y bwrdd oedd wedi ei gysylltu â'r llun drwy wifren. Lai na 1/300 eiliad yn ddiweddarach aeth 10,000 folt o drydan drwy gorff Chris. Cafodd ei daflu bum llath a disgyn wrth draed Tony. Trodd Tony i ymgeleddu Chris. Cyffyrddodd ynddo. Eiliad yn ddiweddarach estynnodd Dominic ei fraich i atal Tony rhag gwneud. O ganlyniad, llifodd y trydan o gorff Chris drwy gorff Tony ac yna drwy gorff Dominic. Ymhen eiliad arall roedd y pŵer trydanol wedi treiddio drwy Tony a Dominic yn ogystal. Gorweddai'r tri yn anymwybodol a'u drylliau ar wasgar ar hyd y llawr.

Safodd Llew, Gruff, John Lazarus a Gwen yn gegagored wrth weld y tri'n gorwedd yn gelain ar y llawr. Aeth eiliadau heibio wrth iddynt geisio amgyffred beth oedd newydd ddigwydd. Yna dywedodd John Lazarus,

— Chi a'ch dull di-drais! gan edrych yn hurt ar Gruff. Dechreuodd Gruff chwydu wrth sylweddoli iddynt ladd tri dyn. Cerddodd Llew i'r gegin, ei goesau'n simsanu tra eisteddodd Gwen gan ddal ei phen yn ei dwylo. Yna clywodd y tri Tony'n griddfan a llais Dominic yn dweud, — *Oh man, my balls have been burnt off.*

Sylweddolodd Llew a Gruff fod Tony a Dominic yn dal yn fyw ac er gwaetha eu rhyddhad sylweddolodd pawb fod yn rhaid iddyn nhw weithredu'n gyflym. Rhuthrodd y pedwar tuag at Tony a Dominic a chasglu eu drylliau.

Yn y cyfamser roedd Chris wedi dod at ei hun a darganfod bod ei ddwylo'n dal yn dynn yn y llun. Rhwygodd gefn y llun a chanfod Llythyr Pennal y tu ôl iddo. Dechreuodd gropian at y drws ffrynt. Wrth i'r Gwylliaid gael eu gwynt atynt trodd

Gwen i weld Chris yn diflannu gyda'r llythyr. Herciodd trwy'r drws ffrynt tuag at y Mini Cooper wedi ei barcio ychydig lathenni o'r drws. Rhedodd Gwen ar ei ôl ond teimlodd fraich Llew yn ei thynnu yn ôl.

— Ond, Llew, mae e wedi mynd â Llythyr Pennal.

Gwenodd Llew.

— Nag yw. Copi sy 'da fe. Mae'r llythyr gwreiddiol wedi ei guddio mewn man diogel iawn, meddai Llew.

-3-

GORWEDDAI TONY A Dominic yn anymwybodol ym mŵt car Llew. Eisteddai Llew a Gwen yn y seddi blaen. Yn y cefn eisteddai Gruff a John Lazarus. Yn eistedd rhyngddynt roedd Defarge. Roedd ei ddwylo a'i draed wedi eu clymu ac roedd tâp ar draws ei geg.

Wrth i'r saith deithio o dŷ Llew tuag at Aberystywth, dywedodd Llew,

— Gad i mi esbonio unwaith eto, Gwen. Nid y llythyr gwreiddiol oedd yn y llun ond copi o'r llythyr y gwnes i ei gymryd pan wnes i guddio'r llythyr mewn man diogel ym mis Hydref.

— Ond ble mae'r llythyr gwreiddiol? gofynnodd Gwen.

— Awn ni i'w nôl e ar ôl i ni fynd â Jac a Wil i ysbyty Bronglais, dywedodd Llew.

— Wnân nhw ddim dweud gair wrth yr heddlu... yn enwedig ar ôl i ti ffonio Syr Charles Croker yn ei longyfarch ar ddwyn y llythyr. Wrth gwrs pan ddywedith e mai copi ffug oedd y tu ôl i'r llun bydd yn rhaid i ti esbonio wrtho ein bod ni wedi cael ein twyllo gan fod y llythyr gwreiddiol yn dal yn y Llyfrgell Genedlaethol, gorffennodd Llew.

— Ond bydd e'n gwybod yn iawn mai celwydd noeth yw

hynny, cwynodd Gwen.

— Mae gen i gynllun. Ry'n ni'n mynd i wneud yn siŵr na fyddwn ni'n cael ein dedfrydu am ddwyn y llythyr, nac yn cael ein lladd gan Lywodraeth Ffrainc na gan Syr Charles Croker ychwaith, haerodd Llew.

— Ond sut? gofynnodd Lazarus.

— Beth yw'r peth olaf y byddai unrhyw un yn disgwyl i ni 'i wneud? gofynnodd Llew.

Chwarddodd Lazarus gan ddweud, — Byddai brych llwyr yn mynd â'r llythyr 'nôl i'r Llyfrgell Genedlaethol yn union yr un ffordd ag y gwnaethon ni ei ddwyn, ond dy'n ni ddim mor dwp â hynny, ydyn ni?

— Rwyt ti'n iawn, John, meddai Gwen

— Beth yw'r cynllun, te? gofynnodd Lazarus.

— Ry'n ni'n mynd i ddychwelyd y llythyr i'r Llyfrgell Genedlaethol yn union yn yr un ffordd ag y gwnaethon ni ei ddwyn e, meddai Llew.

— Wyt ti'n wallgof? gofynnodd Gwen.

— O bosib, dywedodd Llew wrth iddo droi'r car i ochr y lôn ger mynediad adran ddamweiniau Ysbyty Bronglais, Aberystwyth.

-4-

AR ÔL I John a Gruff dynnu Tony a Dominic o fŵt y car a'u gadael y tu allan i adran ddamweiniau'r ysbyty rhoddwyd Fabian Defarge yn y bŵt yn lle'r ddau Sais. Hanner awr yn ddiweddarach cyrhaeddodd car Llew loches Llythyr Pennal ers dechrau'r Hydref.

Fel y gwnaethon nhw bum mis ynghynt, cerddodd Llew a Gruff i gefn yr adeilad. Cymerodd Gruff drosol o boced ei got ac agor y drws. Camodd y ddau i mewn a cherdded yn ddistaw cyn cyrraedd y cas arddangos yng nghefn yr adeilad. Eglwys Pennal.

Roedd copi o'r llythyr a ddygodd Gwylliaid Glyndŵr o'r Llyfrgell Genedlaethol y tu mewn i got Llew. Agorodd Gruff y cas. Tynnodd Lythyr Pennal allan a'i roi o dan ei got. Rhoddodd Llew'r llythyr ffug yn y cas yn ei le. Cerddodd y ddau o'r eglwys yn dawel cyn camu yn araf yn ôl at y car a gyrru i ffwrdd.

— Wyt ti'n cofio pan aethon ni'n dau i Eglwys Pennal i weld y llythyr? gofynnodd Llew i Gwen wrth iddo yrru'r car tuag at Fachynlleth.

— Ydw. Dywedodd y fenyw bod rhywun wedi torri i mewn i'r eglwys ond heb ddwyn unrhyw beth, dywedodd Gwen. Gwenodd Llew. — A dwedais i pa mor sâl oedd y copi yn y cas. Rwy'n dy gofio di'n gwenu pryn'ny'r cwrci, ychwanegodd hithau.

— Ble 'yn ni'n mynd nawr Llew? gofynnodd Lazarus.

— Faint o'r gloch yw hi? gofynnodd Llew.

— Hanner awr wedi un ar ddeg, atebodd Gwen

— Gruff. Ffonia Lionel ac Adrian. Ry'n ni angen camera, seinleolwr, colur a phaent a dyweda wrthyn nhw y byddwn ni'n cyrraedd Manceinion erbyn hanner awr wedi un, dywedodd Llew.

— O'r gorau, atebodd Gruff gan obeithio nad oedd Lionel ac Adrian wedi gwahanu unwaith eto.

-5-

CYRHAEDDODD Y PEDWAR dŷ Gruff yn Marple ddwy awr a hanner yn ddiweddarach. Gyrrodd Llew'r car i mewn i'r garej a chau'r drws cyn agor bŵt y car a thynnu'r tâp oddi ar geg Defarge. Roedd y Ffrancwr wedi bod ar ddihun ers dwy awr.

Roedd e wedi straffaglu, heb lwyddiant, i ryddhau ei ddwylo gan eu bod wedi eu clymu. Rhoddodd Llew ddiferyn o ddŵr i Defarge, cyn rhoi'r tâp yn ôl dros ei geg a chau'r bŵt.

Cyrhaeddodd Lionel ac Adrian hanner awr yn ddiweddarach. Cariodd Lionel gamera a seinleolwr i mewn i'r tŷ. Y tu ôl iddo cariai Adrian ddau fag anferth yn cynnwys dillad, colur a phaent.

Er ei bod hi'n oriau mân y bore roedd Adrian wedi ei wisgo'n drwsiadus; siwt ysgafn gwyrdd golau a het gron a wnâi iddo edrych yn debyg i'r actores Katherine Hepburn. Esboniodd Llew a Gruff y cynllun i'r ddau ac wedi iddynt wrando'n astud, cytunon nhw i helpu.

Chwe awr yn ddiweddarach roedd popeth wedi ei drefnu ac eisteddodd pawb i wrando ar y sgwrs ffôn fyddai'n dechrau'r cynllun i ddychwelyd y llythyr i'r Llyfrgell Genedlaethol..

Ar yr un pryd roedd Vincent Pyrs newydd gyrraedd ei swyddfa yn y Llyfrgell Genedlaethol. Roedd e'n pendroni ynglŷn â'i sefyllfa fregus fel pennaeth Adran Arddangosfeydd y Llyfrgell. Roedd e wedi cael llond pen gan y Llyfrgellydd, Alan White, yn sgil datganiad Defarge i Vincent a Moelwyn Drake ddweud celwydd drwy honni mai ef oedd yn gyfrifol am adael i'r lladron ddefnyddio Llythyr Pennal ar gyfer y ffilmio ffug. O ganlyniad, mynnodd Vincent Pyrs fod Moelwyn Drake yn cysylltu teclyn recordio wrth ei ffôn. Byddai hynny'n sicrhau bod gan Vincent dystiolaeth am bob sgwrs a gâi, yn enwedig gyda'r clapgi 'na, Defarge.

Canodd y ffôn am naw o'r gloch.

— Vincent Pyrs. Pennaeth Adran Arddangosfeydd. Vincent Pyrs Head of Exhibitions, dywedodd Vincent. Roedd clywed ei hun yn dweud y geiriau hyn wastad yn codi ei galon. Doedd Vincent Pyrs ddim wedi ei guro eto, meddyliodd. Gwrandawodd yn astud wrth i'r dyn ar y ffôn esbonio yn Saesneg ei fod eisiau ail-greu'r lladrad ar gyfer ei ffilmio.

— Na, dwi ddim yn credu y bydd hynny'n bosib... pryd

roeddech chi'n gobeithio ffilmio... pnawn 'ma am dri! Amhosib, dywedodd Vincent Pyrs.

Gwrandawodd yn astud wrth i'r dyn ofyn a oedd unrhyw un arall yn gyfrifol am wneud y penderfyniad.

— Na, fi yw'r pennaeth, meddai Vincent Pyrs yn hunangyfiawn cyn i syniad ei daro. Gallai ofyn i Defarge a recordio'r sgwrs. Petai e'n cytuno i'r cais a phetai unrhyw beth yn mynd o'i le, Defarge fyddai ar fai.

— Wel... mi wna i gysylltu gyda fy nghydlynydd. Alla i'ch ffonio chi 'nôl mewn pum munud? gofynnodd cyn gwneud nodyn o'r rhif ffôn symudol. Teimlai'n fwy cysurus o sylweddoli na fyddai unrhyw un a fwriadai geisio dwyn rhywbeth arall o'r arddangosfa yn rhoi ei rif ffôn iddo.

Funud yn ddiweddarach canodd ffôn symudol Defarge. Pesychodd Gruff ac atebodd y ffôn.

— Defarge, meddai gan wneud ymdrech lew i ddynwared y Ffrancwr. Esboniodd Vincent am ofynion y cwmni teledu.

— Wrth gwrs, dylen ni wneud unrhyw beth a fydd o gymorth i ddal y lladron. Ie, ie Vincent, fy mhenderfyniad i yw e. Ie, fy mhenderfyniad i'n unig yw e, dywedodd Gruff yn Saesneg.

Bum munud yn ddiweddarach rhoddodd Vincent Pyrs y ffôn i lawr ar ôl iddo ganiatáu cyfarwyddwr, dyn camera ac actor i ail-greu'r lladrad rhwng tri o'r gloch a hanner awr wedi tri'r prynhawn hwnnw.

Tynnodd Llew garden fusnes o'i boced a gwenu ar y gweddill.

— Un galwad ffôn arall ac mi fyddwn ni'n barod, meddai wrth weld pawb yn dylyfu eu genau. Sylweddolodd iddynt golli un noson o gwsg.

— Gwnawn ni gysgu ar y ffordd i Aberystwyth, dywedodd yn awdurdodol. Syllodd Gwen arno gan sylweddoli pa mor gadarn oedd y dyn hwn er gwaethaf ei fol cwrw.

-6-

ROEDD DEFARGE WEDI llwyddo i ddatod y rhaff o'i ddwylo erbyn naw o'r gloch y bore. Roedd e'n meddwl am gynllun i ddianc o grafangau'r lladron pan glywodd e Gruff yn siarad gyda rhywun yn Saesneg wrth ochr y car.

— Faint o'r gloch 'ych chi'n mynd â'r llythyr yn ôl i'r Llyfrgell? gofynnodd Lionel i Gruff yn Saesneg.

— Tri o'r gloch y prynhawn 'ma. Mae Vincent Pyrs wedi cytuno i adael i ni ffilmio'r ail-greu, dywedodd Gruff gan chwerthin.

Gwgodd Defarge. Blydi Vincent Pyrs, meddyliodd. Byddai Pyrs a Drake yn colli eu swyddi pe llwyddai i ddianc. Roedd yn rhaid iddo ddianc a chysylltu â Giresse i drafod beth ddylen nhw 'i wneud er mwyn achub y sefyllfa. Eiliad yn ddiweddarach agorodd Gruff y bŵt, tynnu'r tâp oddi ar geg Defarge a rhoi dŵr iddo.

— Beth 'ych chi'n mynd i neud i fi? gofynnodd Defarge.

— 'Dyn ni ddim wedi penderfynu 'to, atebodd Gruff gan gau'r bŵt a mynd yn ôl i'r tŷ.

Sylweddolodd Defarge fod Gruff wedi anghofio cloi'r bŵt. Arhosodd am ddau funud i wneud yn siŵr nad oedd unrhyw un yn ymyl. Tynnodd y rhaff oddi ar ei ddwylo, tynnodd y tâp oddi ar ei geg a datgysylltodd y rhaff o'i goesau. Agorodd y bŵt a chamu o'r car yn ddistaw. Yna, sylweddolodd na allai symud. Roedd ei goesau wedi cyffio oherwydd iddo gael ei gloi ym mŵt y car drwy'r nos. Cerddodd fel Douglas Bader at ddrws y garej cyn pwyso yn ei erbyn a'i gicio gyda'i goes chwith. Agorodd y drws a cherddodd yn araf o'r tŷ. Cyflymodd ei gamau wrth i'r gwaed lifo yn ôl i'w goesau.

Gwyliodd Gwen, Llew, Gruff, John Lazarus, Lionel ac Adrian yr Arolygydd Defarge yn cerdded fel hen ŵr i lawr y stryd.

— Wyt ti'n meddwl iddo glywed eich sgwrs? gofynnodd Gwen.

— Os na wnaeth e bydd ein cynllun yn rhacs jibiders, dywedodd Llew cyn troi at y gweddill.

— Reit. Mae'n bryd i ni fynd i Aberystwyth.

-7-

— HYD YN oed petaech chi'n dad i Eric Cantona byddai'n rhaid i chi aros yn y ciw, pâl. Dyna'r ffordd ry'n ni'n gweithio yma yn Grande Bretagne, meddai Sarjant Huw Oliver wrth Defarge yng ngorsaf heddlu Marple cyn pwyntio at nifer o bobl oedd yn eistedd yn ystafell aros yr orsaf.

— Ond rwy'n mynnu cael eich help. Fi yw'r Prif Arolygydd Fabian Defarge.

— Oes gennych chi unrhyw beth i brofi mai chi yw... beth yw eich enw?

— Fabian Defarge! gwaeddodd gan deimlo yn ei bocedi. Sylweddolodd fod y lladron wedi mynd â phopeth gan gynnwys ei sigaréts.

— Ym... nac oes. Mae rhywun wedi dwyn fy nogfennau a...

— Iawn... rwy'n deall... chi yw'r Arolygydd Defarge ac mae rhywun wedi dwyn eich dogfennau ac yn esgus mai nhw ydych chi. Os ewch chi draw fan'na ac eistedd ar bwys Sir Bobby Charlton, Elvis Costello a Bono daw rhywun i'ch gweld chi yn y man, gorffennodd Sarjant Huw Oliver.

Edrychodd Defarge draw i'r gornel a gweld dyn moel â dim ond un stribedyn o wallt ar ei ben; dyn yn gwisgo sbectol a dyn arall yn gwisgo sbectol haul a het ddu anferth.

Rhegodd dan ei wynt a brasgamodd o orsaf yr heddlu. Roedd yn rhaid iddo ffonio Giresse ac i wneud hynny roedd yn rhaid iddo gael ei ddwylo ar ffôn.

-8-

PENDERFYNODD GWEN FFONIO Syr Charles Croker wrth i Llew yrru ar hyd y drafordd ger Caer.

— Dwi ddim yn hapus, Gwen. Dwi ddim yn hapus o gwbl, gwaeddodd Syr Charles Croker. – Mae Chris wedi colli ei wallt a blaenau ei fysedd. Fe fydd Tony a Dominic yn yr ysbyty am wythnos ac mae'r llythyr yn un ffug, taranodd.

— Mae'n flin gen i, Charlie, ond ry'n ni wedi cael ein twyllo hefyd. Dwi ddim yn gwybod beth sydd wedi digwydd ond nid llythyr Pennal oedd y llythyr wnaethon ni 'i ddwyn, atebodd Gwen.

— Ond ble mae e, 'te? Gwranda, Gwen! gwaeddodd Syr Charles.

— Na, gwranda di, Charlie. Dywedest ti wrth Chris, Tony a Dominic i'n lladd ni ar ôl iddyn nhw gael y llythyr. Ond doedd y llythyr ddim gyda ni. Yn fy marn i ry'n ni'n cwits.

Ar ôl eiliadau o dawelwch, dywedodd Charlie Croker, — O'r gorau. Cwits.

Trodd Gwen at Llew. — Cymru 1, Lloegr 0, dywedodd.

— Ond mae 'da ni blydi Ffrainc yn y rownd nesaf, dywedodd John Lazarus wrth i'r car droi tuag at Wrecsam.

-9-

BU DEFARGE YN cardota ar strydoedd Stockport am hanner awr heb unrhyw lwyddiant, er ei fod yn edrych fel trempyn. Roedd ei got ddrud wedi'i rhwygo a doedd e ddim wedi eillio ers deuddydd. Yna gwelodd ddau ddyn ifanc yn closio ato.

— Plîs, allwch chi sbario punt ar gyfer ffonio? crefodd Defarge.

— Na. Ond cewch chi roi eich cot i ni, dywedodd un o'r

dynion. Tynnodd gyllell o'i boced a thynnodd ei gyfaill ffôn symudol i ffilmio'r drosedd.

Roedd Defarge wedi cael digon. Ymhen dim roedd wedi cicio'r gyllell o ddwylo'r dyn ifanc cyn torri ei fraich chwith. Trodd at y dyn arall a'i fwrw'n anymwybodol. Plygodd a chodi llond dwrn o arian a'r ffôn symudol o'r llawr. Cerddodd i ffwrdd gan alw ffôn symudol Giresse.

Pan ddywedodd Defarge wrtho beth oedd wedi digwydd iddo ers y noson cynt clywodd ei feistr yn ochneidio cyn rhegi dan ei anadl. Ond pan ddywedodd wrtho am gynllun y Gwylliaid i ddychwelyd y llythyr i'r Llyfrgell bu tawelwch hir.

— Beth ry'n ni'n mynd i wneud, syr? gofynnodd Defarge.

— Maen nhw'n bwriadu dychwelyd y llythyr i'r Llyfrgell. Cywir?

— Cywir, syr.

— Os felly, pan wnei di eu harestio nhw mi fydd pawb yn meddwl eu bod nhw wedi dwyn y llythyr gwreiddiol o'r Llyfrgell yn hytrach nag o Baris. Cywir?

— Cywir, syr.

— Felly, pan wnei di eu harestio nhw fe gei di'r clod am ddarganfod y llythyr yn ogystal â'r clod am ddal lladron Llythyr Pennal. Canlyniad gwych i chi, canlyniad gwych i mi a chanlyniad gwych i'r Gweinidog. Cywir?

— Cywir, syr. Ond beth os gwnaiff Llew Jones hawlio ei fod wedi dwyn y llythyr ym Mharis?

— Mi fynnwn ni mai honiadau lloerig gan genedlaetholwr sy'n casáu Ffrainc am beidio â dychwelyd y llythyr i Gymru yw e. Rwy i wedi gwneud yn siŵr nad oes dim tystiolaeth i gysylltu Gwen Vaughan â ni. Mi wna i deithio i Aberystwyth ac mi wna i'n siŵr eich bod chi'n cael cymorth yr heddlu i arestio'r diawled, meddai Giresse.

Trodd Defarge a gweld pum plismon yn rhedeg tuag ato.

— Dyna gyflym, meddyliodd cyn iddo weld un o'r dynion a oedd wedi ymosod arnyn nhw'n pwyntio bys ato.

— Merde, meddai Defarge wrth i'r pum plismon ei dynnu i'r llawr.

-10-

CROESAWODD VINCENT PYRS a Moelwyn Drake y criw ffilmio i'r Llyfrgell Genedlaethol. Roedd y dyn wedi ei wisgo fel Owain Glyndŵr, roedd y fenyw'n dal, gyda gwallt du, hir ac roedd y dyn camera tua phum troedfedd a phum modfedd mewn taldra.

— Croeso i'r Llyfrgell Genedlaethol, dywedodd Vincent Pyrs gan fflachio'i ddannedd ac edrych yn hir ar y tri.

— Os gwnewch chi ein dilyn ni i'r arddangosfa mae popeth yn barod ar eich cyfer, ychwanegodd yn seimllyd.

— Ai hwn yw'r tro cyntaf i chi ymweld â'r llyfrgell? gofynnodd Moelwyn Drake yn ffug gyfeillgar yn Saesneg i'r fenyw.

— Ie, atebodd hithau'n swta.

A'r tro olaf, meddyliodd Moelwyn wrth iddyn nhw ddringo rhes o risiau i'r ystafell arddangos.

Roedd Fabian Defarge yn eistedd yn ystafell reoli'r camerâu CCTV. Wrth ei ochr safai'r Llyfrgellydd, Alan White. Roedd Defarge wedi cyrraedd y Llyfrgell awr ynghynt. Ar ôl iddo gael ei arestio am ymosod ar y ddau ddyn ifanc tywyswyd ef i orsaf heddlu Stockport, ond fe'i rhyddhawyd hanner awr yn ddiweddarach pan ddaeth neges o'r Swyddfa Gartref yn dweud y dylai heddlu Manceinion a'r cyffiniau ddilyn gorchmynion Defarge.

Teithiodd Defarge i Aberystwyth yng nghwmni saith aelod o uned gynnau tactegol heddlu Manceinion. Pan gyrhaeddon nhw'r Llyfrgell toc wedi dau o'r gloch esboniodd Defarge y sefyllfa i White, Pyrs a Drake gan amlinellu'i gynllun.

Y peth cyntaf a wnaeth Vincent Pyrs oedd cau'r arddangosfa. Ar y pryd dim ond grŵp o blant ysgol a chwpwl oedrannus oedd yno. Esboniodd Vincent Pyrs fod yn rhaid i'r arddangosfa gau am y prynhawn. Bu'r athro a ofalai am y plant ysgol yn eithaf anghwrtais, ond bu'r cwpwl oedrannus yn hollol ddidrafferth. Gwnaethon nhw hyd yn oed ganmol Vincent am safon uchel yr arddangosfa cyn ymadael.

Yna, cerddodd y saith aelod o'r uned gynnau tactegol i mewn i'r arddangosfa ac aros i Wylliaid Glyndŵr gyrraedd gan esgus eu bod yn ymwelwyr. Camodd Vincent Pyrs i mewn i'r arddangosfa gan esbonio beth oedd wedi digwydd yn ystod y lladrad.

Dechreuodd y ffilmio pan gamodd ef o'i swyddfa wedi iddo wisgo'r dillad canol oesol a gafodd gan y criw. Cerddodd draw at y cas arddangos a'i agor. Tynnodd y copi o Lythyr Pennal o'r cas a cherdded at y bwrdd lle eisteddai Owain Glyndŵr.

— Dyma'r llythyr yn barod i chi ei arwyddo, fy nhywysog, dywedodd gan osod y llythyr ar y bwrdd cyn cerdded ymaith i sefyll wrth ymyl y cas.

Eiliad yn ddiweddarach gwelodd Vincent a Moelwyn y Gwylliaid yn cael eu hamgylchynu gan aelodau'r uned gynnau tactegol a'u drylliau yn barod i saethu.

— Ar y llawr. Nawr, gwaeddodd un o'r heddweision ac ufuddhaodd y tri gan orwedd gyda'u hwynebau tua'r llawr.

-11-

DDWY FUNUD YN ddiweddarach camodd Fabian Defarge i mewn i'r ystafell arddangos. — Gwych, Monsieur Pyrs... anhygoel Monsieur Drake, dywedodd Defarge gan gamu tuag at Vincent a siglo'i law.

— Maen nhw'n Masters of Disguise, Monsieur Defarge... Maen nhw'n gwisgo trwch o golur a phaent er mwyn ceisio edrych yn wahanol i'r tro diwethaf ond wnaethon nhw ddim 'y nhwyllo i. Byddwn i'n 'u hadnabod nhw yn rhywle, broliodd Vincent Pyrs.

— A fi 'fyd, cytunodd Moelwyn Drake.

Camodd Defarge tuag at Gwen a'i throi wyneb i waered. Diflannodd y gwaed o'i wyneb pan welodd Adrian yn wincio arno.

— *Hello, Cheeky! What are you looking at. Am I wearing something of yours?*

Trodd Defarge yn wyllt at y dyn camera a'i droi i'w wynebu.

— F'enw i yw Lionel McCorkindale ac rydw i'n gyfarwyddwr byd enwog. Adrian, lover, ffonia 'nghyfreithiwr i.

Trodd Defarge at Owain Glyndŵr.

— Plîs peidiwch â saethu! Dim ond actor ydw i, dywedodd Jeff Daniels, yr actor a roddodd ei garden fusnes i Llew cyn y lladrad. Roedd Lionel wedi'i ffonio'r bore hwnnw a'i fwcio ar gyfer perfformiad arall.

Trodd Defarge i ffwrdd yn wyllt. Roedd y diawled wedi ei dwyllo unwaith eto.

-12-

CYRHAEDDODD Y CWPWL oedrannus y Llyfrgell Genedlaethol tua un o'r gloch y diwrnod hwnnw. Camodd y ddau'n araf i fyny'r grisiau at yr ystafell arddangosfa lle'r oedd grŵp o blant ysgol yn cael eu tywys o amgylch gan eu hathro. Roedd Adrian wedi gwneud job gwych o wneud i'r ddau edrych fel hen bobl yn eu saith degau. Cerddai Llew'n gefngrwm wrth ochr Gwen a dilynodd y ddau grŵp o blant o gwmpas yr arddangosfa nes iddyn nhw gyrraedd model maint dyn o Owain Glyndŵr. Tynnodd Llew ffôn symudol a fedrai ffilmio o boced ei gôt. Ffilmiodd Gwen yn tynnu llythyr Pennal o'i phoced a'i roi y tu mewn i diwnic y model o Glyndŵr. Gwenodd Llew wrth feddwl fod y llythyr yn gorwedd ger calon Tywysog Cymru. Gwelodd y ddau Vincent Pyrs yn cerdded i mewn a dweud bod yn rhaid i'r arddangosfa gau y prynhawn hwnnw. Diolchodd Gwen iddo am arddangosfa wych cyn gadael gyda Llew. Ar ôl iddynt gael eu harchwilio gan ddau swyddog gwarchod, cerddodd y ddau oddi yno'n araf.

Anfonodd Gwen y ffilm o'i ffôn symudol hi i ffôn symudol Defarge, oedd ar y bwrdd wrth ochr y cyfrifiadur yn nhŷ John Lazarus. Edrychodd John a Gruff ar ei gilydd cyn i Lazarus godi'r ffôn a'i chysylltu i'r cyfrifiadur. Lawr lwythodd y ffilm a'i recordio ar sawl CD.

Erbyn i Lionel, Adrian a Jeff Daniels gael eu harestio ddwy awr yn ddiweddarach roedd Lazarus wedi dod o hyd i rif ffôn Giresse ar ffôn Defarge. Anfonodd gopi o'r ffilm i ffôn Giresse am hanner awr wedi tri ynghyd â neges yn dweud beth oedd gofynion newydd Gwylliaid Glyndŵr. Yna ffoniodd Gruff Alan White i ddweud wrtho ble gallai ddarganfod Llythyr Pennal.

-13-

Cyrhaeddodd hofrennydd Michelle Giresse dŷ Llew am hanner awr wedi pump. Eisteddai Giresse a Defarge ochr yn ochr yng nghegin Llew. Gyferbyn â nhw eisteddai Gwen, Llew a Gruff.

— Penderfynon ni y byddai'n well i John Lazarus fod yn rhywle arall rhag ofn i bethau fynd o chwith, dywedodd Llew.

— Os na ffonia i fe ar amser penodol fe fydd e'n anfon deunydd diddorol iawn i bob cwmni teledu yn Ewrop, ychwanegodd.

— Beth alla i ddweud? Llongyfarchiadau am wneud ffyliaid ohonon ni i gyd, dywedodd Giresse.

— Wrth gwrs, fy nghamgymeriad mwyaf i oedd cytuno i roi'r llythyr yn ôl i Gymru, meddai Defarge cyn i Llew ymyrryd.

— Byddai eich cynllun wedi llwyddo pe bai Defarge wedi'n lladd ni, awgrymodd Llew.

— Digon gwir, ond fe fethodd y cynllun, dywedodd Giresse gan edrych yn chwyrn ar Defarge.

— Ble mae Lionel, Adrian a Jeff Daniels? gofynnodd Gwen.

— Mae'n amlwg bod yna gysylltiad rhwng Lionel ac Adrian â chi ond wnaethon nhw ddim byd oedd yn anghyfreithiol, fel y gwyddoch chi, dywedodd Giresse.

Gwenodd Gruff cyn dweud, — Mae Lionel yn gyfarwyddwr ar ei liwt ei hun ac mae'n hollol gredadwy y byddai ganddo ddiddordeb ail-greu'r lladrad a'i werthu i gwmnïau teledu.

— Digon gwir. Oes rhywbeth arall? Mae gen i ginio pwysig yn Versailles am naw o'r gloch heno, meddai Giresse. — Beth 'ych chi'n moyn am gadw'n dawel?

— Fel ry'ch chi'n gwybod, mae 'da ni gopïau o ffilmiau sydd yn profi ein bod ni wedi dwyn llythyr Pennal a'i ddychwelyd i'r Llyfrgell, dechreuodd Llew.

— Os bydd unrhyw beth, 'amheus', ddywedwn ni yn digwydd i unrhyw un ohonon ni'n pedwar mae 'da ni gysylltiadau fydd yn anfon y tapiau i bob cwmni teledu yn Ewrop, ac Al Jazeera. Rwy'n siŵr y byddai gan y byd cyfan ddiddordeb gweld system warchod Ffrainc ar ei gorau.

— Os cytunwch chi â'n gofynion ni, ddwedwn ni ddim gair bod y llythyr wedi ei ddwyn o'r Archif Cenedlaethol ym Mharis chwaith.

— Ond mae pawb yn meddwl bod y llythyr wedi ei ddwyn o'r Llyfrgell Genedlaethol, ta beth, meddai Giresse.

— Yn hollol, cytunodd Defarge.

— A! Anghofiais i ddweud wrthoch chi. Defnyddiodd Gruff ei ffôn symudol i ffilmio ei hun yn dwyn Llythyr Pennal o'r Archif Cenedlaethol ym Mharis, dywedodd Llew yn fuddugoliaethus.

— Merde, meddai Giresse.

— Yn hollol, dywedodd Defarge.

— Allwch chi brofi hynny? gofynnodd Giresse.

— Fe fydd copi o'r ffilm yn cyrraedd Llysgenhedaeth Ffrainc yn Llundain bore fory.

— Ond beth 'ych chi'n moyn? gofynnodd Defarge yn swta.

— Rwy'n siŵr na fydd Gwen yn wynebu achos cyfreithiol am fewnforio celf i Ffrainc yn anghyfreithlon, awgrymodd Llew.

Nodiodd Giresse ei ben.

— Dyna'r cyfan. Mae Gwen yn rhydd ac rwy i a Gruff wedi gwneud yn siŵr bod llythyr Pennal wedi'i ddychwelyd i Gymru, meddai Llew.

— Unrhyw beth arall?

— Dim ond cwpwl o bethau bach, dywedodd Gwen.

-14-

HANNER AWR YN ddiweddarach glaniodd hofrennydd Giresse ar lawnt y tu allan i Lyfrgell Genedlaethol Cymru. Ddeng munud yn ddiweddarach, eisteddai Giresse a Defarge gyferbyn â'r Llyfrgellydd, Alan White, y Prif Heddwas Vic Fisher, y Prif Arolygydd Dyfed Williams a Phrif Was Sifil, Cynulliad Cenedlaethol Cymru, John Fitzherbert.

— Rwy'n ofni bod gan y lladron gopïau o ffilm ohonyn nhw'n dwyn llythyr Pennal ac yna'n dychwelyd y llythyr, o dan drwynau staff Llyfrgell Genedlaethol Cymru, meddai

Giresse yn Saesneg. — Mae hyn yn gyflafan llwyr i'r Llyfrgell ac i Gymru... ond... rydyn ni wedi addo dychwelyd y llythyr i Gymru. Er hynny mi fydden ni dipyn yn hapusach petai Senedd Cymru yn gartref parhaol i'r llythyr.

Nodiodd John Fitzherbert mewn cytundeb. Eiliad yn ddiweddarach nodiodd Alan White ei ben hefyd, yn bennaf oherwydd ei fod yn atebol i Fitzherbert.

— Yn ogystal... rwy'n argymell ein bod ni'n cadw at ein stori i Fabian Defarge ddod o hyd i'r llythyr ar ôl gweithio'n agos gyda Monsieur Fisher a'r Prif Arolygydd Williams. Bydd hynny'n sicrhau bod y wasg yn hapus bod heddlu Cymru a Ffrainc wedi gwneud eu gwaith yn drylwyr, awgrymodd Giresse.

Nodiodd y ddau blismon eu pennau'n gytûn.

— Ond beth am y lladron? Oes unrhyw syniad gennych chi pwy ydyn nhw? gofynnodd Fisher.

— Ry'n ni'n amau mai gang o Rouen ydyn nhw. Maen nhw wedi cyflawni lladradau tebyg yn Prague a Barcelona. Galla i addo i chi y bydd yr ymchwiliad yn parhau yn Ffrainc, meddai Giresse yn gelwyddog.

— Ond rwy'n ofni y bydd y wasg yn mynnu bod rhywun yn talu'r pris am y gyflafan, ychwanegodd gan edrych ar Alan White.

— Ga i awgrymu rhywbeth i chi, Monsieur White, meddai Giresse.

-15-

— BETH 'YCH chi'n mynd i wneud? gwaeddodd Vincent Pyrs gan edrych yn syn ar Alan White cyn troi at Moelwyn Drake, oedd yn eistedd yn gegagored.

— Does dim dewis gen i, Vincent. Mae'n flin gen i, Moelwyn.

Mae'r Cynulliad wedi penderfynu y dylid cyfuno'r Adran Ddiogelwch gyda'r Adran Arddangosfeydd. Wrth gwrs, mi fyddwch chi'ch dau yn cadw eich swyddi ac ni fydd unrhyw newid yn eich cyflogau. Ond o hyn ymlaen fe fyddwch chi'n atebol i bennaeth newydd a fydd yn sicrhau llwyddiant y ddwy adran.

— Ond pwy yw'r pennaeth newydd? gofynnodd Moelwyn Drake.

Cododd Alan White a cherdded at ddrws yr ystafell a'i agor.

— Gadewch i mi gyflwyno pennaeth newydd Adran Arddangosfeydd a Diogelwch, Llyfrgell Genedlaethol Cymru, meddai.

— Helô, Vincent. Helô, Moelwyn. Cofio fi? meddai John Lazarus a'i lygaid yn fflachio.

— Bang. Bang. Bang. Bang, meddyliodd Lazarus.

-16-

EISTEDDAI LLEW, GWEN a Gruff o gwmpas y bwrdd yng nghegin Llew. Syllai'r tri ar y chwe deg mil o bunnoedd roedd Defarge wedi ei roi iddyn nhw fel rhan o'r cytundeb i brynu eu tawelwch.

— Mae pymtheg mil o bunnoedd yr un yn lot o arian, dywedodd Gruff gan edrych yn syn ar yr arian parod o'i flaen.

— On'd yw e, cytunodd Gwen.

— Beth 'ych chi'ch dau'n mynd i neud gyda'ch cyfran chi o'r arian? gofynnodd Llew.

— Mi a' i yn ôl i Fanceinion, rhoi'r arian yn y banc, a mynd yn ôl i weithio yn y llys, meddai Gruff.

— A beth amdanat ti? gofynnodd Gwen i Llew.

— Rwy i angen gwneud tipyn o waith ar y tŷ. Mae'r hen Volvo bron â phallu. Efallai y pryna i gyfrifiadur newydd. Rwy i angen tipyn o hamdden ar ôl popeth sydd wedi digwydd yn ddiweddar, atebodd Llew.

— Beth amdanat ti, Gwen? gofynnodd Gruff.

— Mi allen i aros fan hyn gyda Llew a cheisio ailgydio yn ein perthynas... priodi... cael plant... dechreuodd Gwen, — ... neu mi allen i weithio ar gynllun i dorri mewn i Lyfrgell Eglwys Gadeiriol Avignon. Mae sôn bod yr Eglwys Gatholig wedi cuddio papurau a llythyron y gwnaeth Owain Lawgoch eu hanfon at y Pab yn y bedwaredd ganrif ar ddeg sy'n werth cannoedd o filoedd o bunnoedd.

— Ac sy'n perthyn i Gymru? awgrymodd Llew.

— Cywir. Y broblem yw y byddai angen rhyw £45,000 o bunnoedd arna i sefydlu'r cynllun a help dau berson arall.

— Jiw Jiw, meddai Gruff gan rwbio ei ên.

— Paid â dweud, meddai Llew gan grafu'i ben.

Edrychodd y tri ar ei gilydd.

— Gwell i ni ddechrau nawr te. Beth yw'r cynllun, Gwen?

— Wel.

-17-

— AC WRTH gwrs dyma'r Goron ymysg ein tlysau, Llythyr Pennal, a ddaeth yn ôl i Gymru chwe mis yn ôl. Fel y gwyddoch, cafodd y llythyr ei ddwyn cyn i heddlu Ffrainc a Chymru gydweithio a llwyddo i'w ddarganfod wythnos yn ddiweddarach, dywedodd y tywysydd a siaradai â dwsin o bobl a oedd wedi talu i gael eu tywys o gwmpas adeilad y Senedd yng Nghaerdydd.

— Pa fath o system larwm rydych chi'n 'i ddefnyddio? gofynnodd dyn tal yn Saesneg, gyda thinc o acen Ffrengig.

— Y razorbell 64, rwy'n credu, atebodd yr arweinydd.

— Diddorol. Diolch yn fawr, dywedodd Fabian Defarge gan gofnodi'r ateb holl bwysig cyn y gallai ddwyn y llythyr yn ôl i Ffrainc.

Y tu ôl iddo safai dyn yn ei chwe degau hwyr yn gwisgo sbectol NHS.

— Oes gwarchodwr yn sefyll ar bwys y llythyr 24 awr y dydd? gofynnodd y dyn yn Saesneg.

— Oes. Mae tri gwarchodwr yn gweithio shifft wyth awr yr un, meddai'r arweinydd.

— Diddorol iawn, meddai Charlie Croker, oedd hefyd wrthi'n cynllunio i ddwyn y llythyr. Ond stori arall yw honno …

hefyd gan Daniel Davies:

TWIST AR 20

Deg o storïau doniol am drychinebau
carwriaethol, gyrfaoedd chwist, anturiaethau
gwaedlyd, cwffio ...a dartiau!

0 86243 870 5

£6.95

PELE, GERSON A'R ANGEL

"Dihunais gyda syched...": nofel am feddwi,
gamblo a mercheta ymhlith rhai o gymeriadau
brith Yr Angel.

0 86243 870 5

£6.95

Am restr gyflawn o nofelau cyfoes
Y Lolfa, a'n holl lyfrau eraill, mynnwch gopi
o'n Catalog newydd, rhad – neu hwyliwch i
mewn i'n gwefan

wwww.ylolfa.com

lle gallwch archebu llyfrau ar lein

Talybont Ceredigion Cymru SY24 5AP
ebost ylolfa@ylolfa.com
gwefan www.ylolfa.com
ffôn 01970 832 304
ffacs 832 782